Achevé d'imprimer sur les Presses des Editions DELROISSE
107-109, rue de Paris - 92100 BOULOGNE - France
Photos : M. RENAUDEAU - M.E.J. GORE - F. BEYLER
Photogravure : Fotomecanica Iberico - Madrid
Maquette : François DEVAUX
Dépôt légal N° 820
ISBN 2-85518-036-8

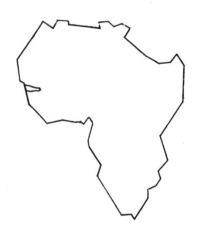

The GAMBIA
La GAMBIE

CONSTITUTION AND GOVERNMENT

The Gambia is an independent Republic within the Commonwealth, and has a unicameral parliament. The present Constitution came into effect on 24 April 1970.

Head of State

The President is Head of State and is elected by universal adult suffrage every five years. Sir Dawda K. Jawara, leader of the PPP and formerly Prime Minister, has been President since the country became a Republic in 1970.

LA CONSTITUTION ET LE GOUVERNEMENT

La Gambie est une République indépendante dans le cadre du Commonwealth; elle a un parlement à chambre unique. La constitution actuelle est entrée en vigueur le 24 avril 1970.

Le Chef de l'Etat

Le président est élu au suffrage universel des adultes tous les cinq ans. Sir Dawda K Jawara, chef du PPP et précédemment premier ministre est président depuis que le pays est devenu une République.

VERFASSUNG UND REGIERUNG

Gambia ist eine unabhängige Republik im Rahmen des Commonwealth. Es besitzt ein Parlament mit einer einzigen Kammer. Die augenblickliche Verfassung ist am 24. April 1970 in Kraft getreten.

Der Staatschef

Der Präsident wird im allgemeinen Wahlrecht von den Erwachsenen alle 5 Jahre gewählt. Sir Dawda Jawara, Chef der PPP und ehemaliger Ministerpräsident ist Präsident, seit das Land im Jahre 1970 zur Republik erklärt wurde.

STATSFÖRFATTNING OCH REGERING

Gambia är en självständig republik och medlem av Commonwealth. Riksdagen består av en enda kammare. Den nuvarande författningen trädde i kraft den 24 april 1970.

Statschef

Presidenten väljs vart femte år genom allmän rösträtt för myndiga personer. Ledaren för PPP-partiet, Sir Dawda K Jawara, som tidigare var premiärminister, är sedan republikens införande år 1970 landets president.

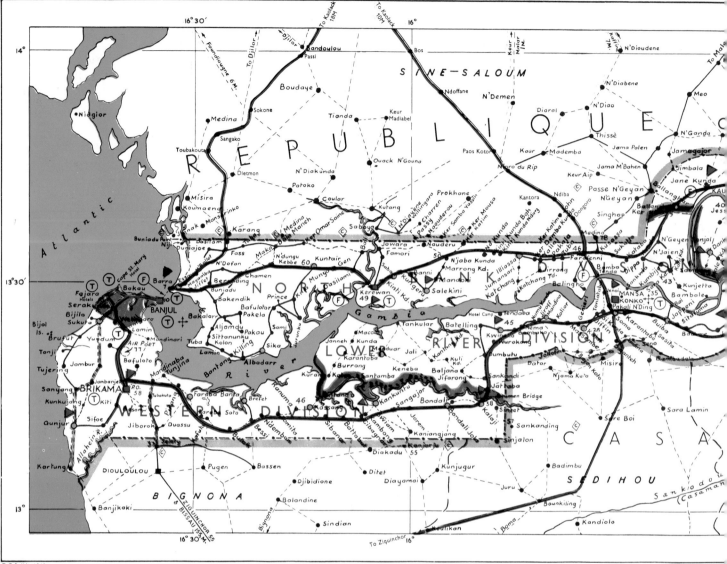

D.O.S. (Misc)349
Edition 7.
Revised & Printed by
SURVEY DEPT. The Gambia
© Government of The Gambia

RIVER DISTANCES — Km

ALBADARR	29	BARO KUNDA	163	KUNTAUR	245	KOSSEMA	367
KEREWAN	68	SAMBANG	169	WALLIKUNDA	263	KANUBE	375
JOWARA	80	KANI KUNDA	174	GEORGETOWN	284	DARSILAMI	381
TENDABA	98	KAUR	190	BANSANG	301	BASSE	389
BALINGHO	125	JESSADI	198	KARANTABA	323	MADINA	399
SANKWIA	137	CARROL'S WHARF	209	CHAGEL	335	FINDEFETTO	419
BAI	150	KUDANG	222	BANNA TENDA	349	FATTATENDA	431
BAMBALE	159	NIANIMARU	232	DIABUGU	359	PERAI	439

FATOTO	463

ALL WEATHER MAIN ROADS (CLASS 1)_____ R E
ALL WEATHER MAIN ROADS (CLASS 2)_____
MAIN ROADS — DRY SEASON_____
OTHER ROADS & TRACKS_____
DIVISIONAL HEAD-QUARTERS_____ BASSE
LOCAL TELEPHONE & V.H.F. SERVICE_____ (T)
KOMBO ST. MARY DIVISION_____
FERRIES AT :— BANJUL, KEREWAN, KAUR, LAMIN KOTO,
BAMBA TENDA & KUNTAUR

4

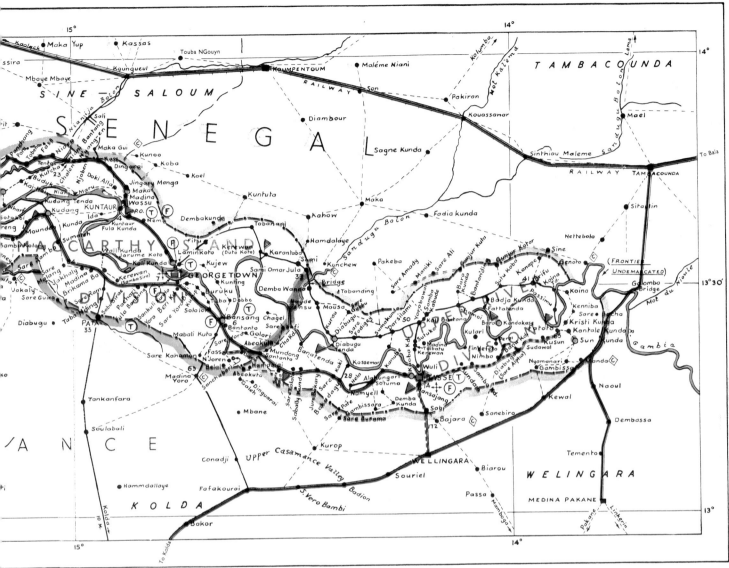

=== ROAD DISTANCES — Km ===

NORTH BANK MAIN ROADS		SOUTH BANK MAIN ROADS		N·BANK BRANCH ROADS	
BARRA TO KEREWAN	58	BANJUL TO BRIKAMA	35	BARRA TO KARANG	21
KEREWAN TO FARAFENNI	56	BRIKAMA TO BWIAM	69	BARRA TO FARAFENNI	109
FARAFENNI TO KAUR	42	BWIAM TO BRUMEN BRIDGE	28	FASS TO DARSILAMI	40
KAUR TO NIANI BANTANG	40	BRUMEN BRIDGE TO MANSA KONKO	52	BUNIADU TO SIKA	32
NIANI BANTANG TO KUNTAUR	24	MANSA KONKO TO PAKALI BA	41	SIKA TO KUNTAIR	26
KUNTAUR TO GEORGETOWN	21	PAKALI BA TO GEORGETOWN	84	KEREWAN TO JOWARA	11
GEORGETOWN TO SAMI	39	GEORGETOWN TO BANSANG	19	JOWARA TO N'JABA KD.	18
SAMI TO FATTATENDA	64	BANSANG TO BASSE	64	N'JABA KD. TO BANNI	
FATTATENDA TO FATOTO	31	BASSE TO FATOTO	42	(VIA SALEKINI)	16
SOUTH BANK BRANCH ROADS				ILLIASSA TO KATCHANG	9,7
BANJUL TO KARTONG	60	KWINELLA TO BURRONG	50	FARAFENNI TO BAMBA TD.	6,5
BRIKAMA TO GUNJUR	18	PINAI TO KUMBANEY VIA JESSADI	24	N·BANTANG TO CHAMEN	19
YELLITENDA TO SOMA	10	WALLIKUNDA TO BRIKAMA BA	8	LAMIN KOTO TO BANSANG	21
SOMA TO MISIRA	6,5	BRIKAMA BA TO PATA	11	YOROBAWAL TO BASSE	13
MANDINABA TO SELETY	14,5	BASSE TO SABI	6	FATOTO TO KOINA TD.	9,7

Department of Surveys Banjul The Gambia July 1973

E ▬▬▬
DISTRICT HEADQUARTERS (SEYFU)............BWIAM ●
REST HOUSE....................................▶
WIRELESS STATION & POST OFFICE...............✛
BAROMETRIC HEIGHTS IN FEET ABOVE M·S·L......45
DIVISIONAL BDY. ▬▬▬▬ FRONTIER ▬▬▬▬
SENEGAL FRONTIER — CUSTOMS POST...........©
KUNDA, BANSANG, BASSE,.....................Ⓕ

The Gambia has a place at all international conferences. Here, the position of Vice-President is occupied by the Minister H.O. Semega-Janneh; on his left Mr. Robert Lonati, permanent secretary of WTO, at the World Tourist Organisation conference.

La Gambie a sa place dans tous les colloques internationaux et le poste de Vice-Président est occupé ici par le Ministre H.O. Semega-Janneh, à sa gauche M. Robert Lonati secrétaire général OMT, au congrès mondial de l'OMT (Organisation Mondiale du Tourisme).

Gambia hat seinen Platz in allen internationalen Konferenzen. Hier wird der Platz des Vizepräsidenten von dem Minister H.O. Semega-Janneh eingenommen; zu seiner Linken, Herr Robert Lonati, Generalsekretär der WOT während des Weltkongresses der WOT (Weltorganisation für Tourismus).

Gambia deltar i alla internationella samtal. Vid OMT:s (Organisation Mondiale du Tourisme - Turist-världsorganisationen) världskongress innehas här vicepresidentposten av ministern H.O. Semega-Janneh. Till vänster om denne syns OMT:s generalsekreterare, Robert Lonati.

Situation

The Republic of the Gambia lies on the west coast of Africa, between latitudes 13° 3' and 13° 49' N and longitudes 16° 48' and 13° 47' W. The Republic of Senegal, with which it has affinity, surrounds it from three sides, the fourth or Western side being the 30 miles Atlantic sea-front.

Physical features

The Gambia is one of the smallest countries in Africa, with a total land area of only 10,367 sq. km. It lies within the valley of the Gambia river, stretches 322 km from east to west and varies in width from 48 km near the mouth of the river to about 24 km further inland.

The country is mainly flat, particularly near the sea but nowhere does it rise more than 90 m above sea level. Dense mangrove swamps line the river banks for the first 240 km upstream, although in some places the mangrove has been cleared for rice cultivation. Above MacCarthy Island the country becomes more open and the low-lying banks give way in some places to red ironstone cliffs covered with shrubs and small trees. Behind the mangrove swamps are bamboo forests and areas of savannah called "banto faros", which are seasonally flooded. Near the coast this land is flooded with saltwater and therefore unsuitable for agriculture; mosquito and tsetse fly are also a problem in this area. Further upriver, where there is freshwater flooding during the wet season, the land is suited to rice cultivation. On the slightly higher ground behind, groundnuts and to a lesser extent other crops are grown on the light sandy soils where the woodland and fallow bush have been cleared. Baobab and kapok trees also grow in these areas.

Situation

La République de Gambie est située sur la côte ouest de l'Afrique entre les 13,3 et 13,49 degrés de latitude nord et les 16,48 et 13,47 degrés de longitude ouest. La République du Sénégal borde sur 3 côtés le pays et le 4ème, celui de l'ouest, consiste en une porte océane d'une largeur de 55 km.

Caractéristiques physiques

La Gambie est l'un des plus petits pays africains. Sa superficie totale n'est que de 10.367 km^2. Elle se situe dans la vallée du fleuve Gambie et s'étend d'est en ouest sur 322 km. Sa largeur varie de 48 km près de l'embouchure du fleuve à environ 24 km plus à l'intérieur.

La plus grande partie du pays est plate et nulle part le relief ne dépasse 90 m au-dessus du niveau de la mer. Des marécages couverts d'épais palétuviers bordent le fleuve sur les premiers 240 km vers l'amont bien que les terres aient été défrichées par endroits pour permettre la culture du riz. En amont de l'île MacCarthy, le pays devient plus dégagé et les rives basses sont remplacées ici et là par des falaises d'argile rouge recouvertes de broussailles et d'arbustes. Derrière les marécages à palétuviers il y a des forêts de bambous et des régions de savane appelées "banto faros" qui sont saisonnièrement inondées. Dans la région côtière les terres sont recouvertes par l'eau de mer et de ce fait sont impropres aux cultures; de plus les moustiques et la mouche tsé-tsé y posent des problèmes. Plus en amont où les terres sont couvertes d'eau douce pendant la saison des pluies, elles se prêtent à la culture du riz. Sur les terres un peu plus hautes situées à l'arrière on produit des arachides et, en moindre quantité, d'autres cultures sur les terrains sablonneux légers où les bois et les broussailles ont été arrachés. On trouve aussi dans ces régions des baobabs et des kapokiers.

Lage

Die Republik Gambia liegt an der Westküste von Afrika, zwischen 13º,03' und 13º,49' nördlicher Breite und 16º,48' und 13º,47' westlicher Länge. Die Republik Senegal begrenzt das Land an drei Seiten; die vierte, westlich gelegene, ist sozusagen ein 55 km breites Tor, das sich auf den Ozean öffnet.

Physikalische Eigenschaften

Gambia ist eines der kleinsten afrikanischen Länder. Seine Gesamtoberfläche beträgt nur 10.367 qkm. Es liegt im Tal des Flusses Gambia, und erstreckt sich von Osten nach Westen über 322 km. Seine Breite ist verschieden: 48 km an der Mündung des Flusses, und ungefähr 24 km im Innern.

Der grösste Teil des Landes ist flach und nirgendwo übersteigen die Erhebungen 90 m über dem Meeresspiegel. Dicht mit Mangrovenbäumen bedeckte Sumpflandschaften umsäumen den Fluss während der ersten 240 km stromaufwärts, obwohl die Böden stellenweise gerodet wurden, um Reisanbau zu ermöglichen. Oberhalb der Insel MacCarthy wird das Land freier und an die Stelle der tiefliegenden Ufer treten hier und dort Felsen aus rotem Lehm, die mit Gestrüpp und Gesträuch bestanden sind. Hinter den Mangroven-Sumpflandschaften befinden sich Bambuswälder und "banto faros" genannte, in gewissen Jahreszeiten überschwemmte Savannengebiete. In den Küstengebieten werden die Böden oft von Meerwasser bedeckt und sind aus diesem Grunde für jeglichen Anbau ungeeignet; übrigens stellen dort auch Mücken und Tsetsefliegen grosse Probleme. Weiter oberhalb, wo die Böden während der Regenzeit von Süsswasser bedeckt sind, sind sie für den Reisanbau geeignet. Auf den höheren, im Hinterland gelegenen leicht sandhaltigen Böden, produziert man Erdnüsse und, in geringerem Masse, andere Kulturen; dort wurden die Wälder und das Unterholz gerodet. In diesen Gebieten findet man ebenfalls Affenbrotbäume und Kapokwollbäume.

Läge

Republiken Gambia är belägen på Afrikas västkust och sträcker sig från 13,3 till 13,49 nordlig bräddgrad samt från 16,48 till 13,47 västlig longitud. Tre sidor av landet är omgivna av republiken Senegal medan den fjärde utgörs av en 55 km bred öppning mot havet.

Geografiska förhållanden

Gambia är en av Afrikas minsta stater med totalt endast 10 367 km² yta. Landet är beläget längs Gambiafloden och omfattar, från öster till väster 322 km. Bredden varierar mellan 48 km vid flodmynningen till cirka 24 km längre in i landet.

Landet är huvudsakligen flackt och de högsta höjderna når endast 90 m över havsytan. De första 240 km längs med floden mot upplandet utgörs av med kraftiga mangroveträd bevuxna sumpmarker. Dock har man delvis röjt upp marken för att göra det möjligt att odla ris. Ovanför ön MacCarthy är landet mer öppet och de låga flodstränderna övergår här och där i röda, av snår och buskar täckta lerklippor. Bakom de av mangroveträd bevuxna träsk-markerna finns bambuskogar och savannområden, de så kallade "banto faros". Säsongsvis inträffar här översvämmningar. I kustområdet är marken täckt av havsvatten och av denna anledning oduglig för jordbruk. Dessutom har man problem med myggor och tsetseflugor inom denna region. Längre upp längs floden täcks marken av sötvatten under regnperioden och lämpar sig således för risodling. På de något högre belägna, lätt sandhaltiga markområdena i de bakre trakterna, där träd och snår röjts undan, förekommer jordnötsproduktion och, i mindre skala, även andra odlingar. Här finner man också apbröds- och kapokträd.

The Gambia river is West Africa's finest waterway. It rises on the Fouta Djalon plateau in Guinea and flows through the Gambia for the last 475 km of its course to the Atlantic.

Le fleuve Gambie est le plus beau cours d'eau de l'Afrique occidentale. Il prend sa source au plateau de Fouta Djalon en Guinée et traverse le pays sur une longueur de 475 km avant de se jeter dans l'Atlantique.

Die Gambia ist der schönste Flusslauf ganz Westafrikas. Ihre Quelle befindet sich auf dem Plateau von Fouta Djalon, in Guinea; sie durchfliesst das Land über 475 km Länge, bevor sie sich in den Atlantischen Ozean wirft.

Gambiafloden, som är Västafrikas vackraste vattendrag, upprinner i Fouta Djalons högland i Guinea och mynnar ut i Atlanten. Flodloppet inom landet är 475 km långt.

During the ceremonies which makes the commemoration of the thirteenth Anniversary of Independence, the new Banjul-Barra ferry was inaugurated. Above, the traditional ferry, which crosses the river upstream.

Au cours des cérémonies qui ont marqué les fêtes de la commémoration du 13ème anniversaire de l'indépendance, le nouveau ferry Banjul Barra a été inauguré - ci-dessus le bac traditionnel qui franchit le fleuve en amont.

Während der Festlichkeiten zur Feier des 13jährigen Jahrestages der Unabhängigkeit wurde die neue Fähre Banjul-Barra eingeweiht. Obenstehend, das bisherige Fährboot, das am Oberlauf des Stromes übersetzt.

Vid de festligheter, som gick av stapeln i samband med trettonårsdagen av landets självständighet, invigdes den nya bilfärjan Banjul Barra; ovan den traditionella färjan på väg uppför floden.

But in many places the dug-out canoe is the mean of transport most generally used. The legendary African mutual aid is resorted to so as to prevent passengers from getting their feet wet.

Mais en maints endroits la pirogue reste le moyen le plus souvent employé, et afin que les passagères ne se mouillent pas les pieds, on recourt à la légendaire entraide africaine.

Doch an vielen Orten bleibt die Piroge das meistbenutzte Verkehrsmittel. Damit die Passagiere keine nassen Füsse bekommen, greift man zur legendären afrikanischen Solidarität.

På många ställen är dock pirogen fortfarande det oftast använda transportmedlet. För att de kvinnliga passagerarna icke skall bli våta om fötterna, anlitar man den legendariska afrikanska hjälpsamheten.

The Gambia has large numbers of wild pigs, monkeys, dogface baboons, hyenas, jackals and antelope; hippopotamuses and crocodiles are seen upstream. Over 400 species of birds have been recorded in the Gambia and these include a wide variety of river-side species to be seen in the lagoons and creeks ("bolons") near Banjul, while further upriver there are sandgrouse, rock pigeons, guinea fowl, herons, doves, sunbirds, hawks, grass warblers, bushfowl, teal, spurwings and knob-billed geese. The Abouko Nature Reserve is situated about 24 km from Banjul and a national park has been proposed at a site about 160 km from Banjul in the Kiang district.

On trouve en Gambie un grand nombre de phacochères, de singes, de cynocéphales, d'hyènes, de chacals et d'antilopes. En amont il y a des hippopotames et des crocodiles. On a relevé plus de 400 sortes d'oiseaux parmi lesquels de nombreuses espèces d'oiseaux aquatiques dans les lagunes et les criques ("bolons") près de Banjul alors qu'en amont il y a des ganga des sables, des pigeons de roche, des pintades, des hérons, des colombes, des souïmanga, des faucons, des fauvettes, des gibiers de brousse, des sarcelles, et des oies à bec renflé. La Réserve d'Abouko est située à environ 24 km de Banjul et il est prévu de créer un Parc National dans la région de Kiang à environ 160 km de Banjul.

Man findet in Gambia wilde Schweine, Affen, Paviane, Hyänen, Schakale und Antilopen in grosser Anzahl. Stromaufwärts tummeln sich Flusspferde und Krokodile. Es gibt dort ebenfalls über 400 Vogelarten, darunter zahlreiche Wasservögel, die sich in den Lagunen und Buchten ("bolons"), in der Nähe von Banjul, aufhalten: Haselhühner, Felstauben, Perlhühner, Reiher, Tauben, "Soui-managas" (Kolibris), Falken, Grasmücken, Buschwild, Knäkenten und Gänse mit ausgebauchtem Schnabel. Das Naturschutzgebiet von Abouko liegt ungefähr 24 km von Banjul entfernt und ein Nationalpark soll bald im Gebiet von Kiang, ungefähr 160 km von Banjul, geschaffen werden.

Faunan i Gambia är mycket riklig och består bland annat av ett med vildsvinet besläktat hovdjur, apor, hyenor, schakaler och antiloper. Uppströms träffar man på såväl flodhästar som krokodiler. Över 400 fågelarter har iakttagits, varav ett stort antal vattenfåglar i lagunerna och havsvikarna ("bolons") i närheten av Banjul. Uppströms finner man "sand"- och klippduvor, pärlhöns, hägrar, en med duvan besläktad fågel, sparvar, falkar, lövsångare, fågelvilt, årtor och gäss med krokiga näbbar. Naturreservatet Abouko är beläget cirka 24 km från Banjul och en nationalpark planeras till Kiang-området, ungefär 160 km från Banjul.

(Pan troglodytes)

The Akubo nature reserve and some of its inhabitants.
La réserve naturelle d'Akubo, et quelques-uns de ses hôtes.
Der Naturschutzpark von Akubo mit einigen seiner Gäste.
Naturreservatet Akubo och några av dess invånare.

The beautiful, graceful antelope.
La belle et gracieuse antilope.
Die schöne und anmutige Antilope.
Den vackra och graciösa antilopen.

The King of the African jungle, and particularly that of the Gambia.
Le roi de la jungle africaine, et aussi en particulier de la Gambie.
Der König des afrikanischen Dschungels und besonders Gambias.
Den afrikanska djungelns, och i synnerhet Gambias, konung.

(Coracias abyssinica)

(Halcyon leucocephalus)

(Merops nubicus)

(Bubulcus Ibis)

(Tchitrea rufiventer)

(Nectarinia pulchella) ▼

▲ *(Poicephalus senegalus)*

(Lybius dubius) ▼

The kapok tree.

Le kapokier.

Der Kapokwollbaum.

Kapockträdet.

The banks of the Gambia river are thought to have been inhabited for many centuries. A number of stone circles composed of pillars between one and three metres high are found above Kaur, about 190 km upriver. They are similar to ones found in Senegal and are believed to mark burial places, but their age is not known. The earliest peoples were probably negroes, who were sedentary cultivators of plantains, beans and millet. From the 5th century AD, cattle-raising Berbers came into the region from the north. With the rise of the Mali Empire to the east, Mandingo traders spread into the Gambia valley in the 13th century and were to remain in control of the region for about six centuries. The Mandingos also introduced Islam.

On pense que les rives de la Gambie ont été habitées depuis de nombreux siècles. On trouve au-dessus de Kaur, à environ 190 km en amont des cercles en pierre composés de colonnes de un à trois mètres de haut. Ils sont analogues à ceux qui existent au Sénégal; on estime que ce sont des lieux de sépultures mais on ne connaît pas leur ancienneté. Les premiers habitants étaient sans doute des noirs, agriculteurs sédentaires cultivant le plantain, les haricots et le millet. A partir du 5ème siècle de notre ère les Berbères, des éleveurs, sont arrivés du Nord. Avec le développement de l'Empire du Mali à l'Est, des marchands Mandingues se sont établis dans la vallée de la Gambie au 13ème siècle et sont restés maîtres de la région pendant environ six siècles. Ils ont aussi introduit la civilisation islamique.

Man glaubt, dass die Ufer der Gambia seit zahlreichen Jahrhunderten bewohnt seien. Man findet oberhalb von Kaur, ungefähr 190 km stromaufwärts, Steinkreise, die aus ein bis drei Meter hohen Säulen bestehen. Sie ähneln denen, die man in Senegal findet; man ist der Meinung, dass es sich da um Grabstätten handelt, aber über ihr Alter ist man sich nicht im Klaren. Die ersten Einwohner waren zweifelsohne schwarze sesshafte Bauern, die Wegerich, Bohnen und Hirse anbauten. Seit dem 5. Jahrhundert unseres Zeitalters kamen Berber, die Tierzüchter waren, aus dem Norden an. Im Masse wie sich das Malikaiserreich im Osten entwickelte, liessen sich im 13. Jahrhundert Mandingohändler im Gambiatal nieder; sie beherrschten dieses Gebiet ungefähr sechs Jahrhunderte lang. Sie führten ebenfalls die islamische Zivilisation ein.

Man tror att Gambiaflodens stränder varit befolkade sedan ett otal sekel tillbaka. Omkring 190 km uppför floden, ovanför Kaur, träffar man på stenringar, som består av mellan 1 och 3 meter höga pelare. De liknar de formationer som finns i Senegal. Man tror att det är fråga om gravplatser, men har inte kunnat fastställa åldern. Förmodligen var urinnevånarna bofasta negrer, som odlade groblad, bönor och bovete. Från och med fyrahundratalet i vår tideräkning slog sig berber, som kom från norr, ner i trakten. Dessa sysslade med djuruppfödning. I och med att Mali-imperiet utvidgades i öster, slog sig handelsidkande mandingos ner i Gambiadalen på 1200-talet. Dessa härskade i omradet under cirka 600 år och införde också den islamska civilisationen.

41

A DESCRIPTION OF THE STONE CIRCLES AND STONES OF THE GAMBIA

Although West Africa has no monuments comparable to the Pyramids and Temples of Ancient Egypt or the ruins of Zimbabwe in Rhodesia, it has in the stone circles of the Senegal and the Gambia impressive remains that have for long puzzled the few travellers who have examined them. Stone circles of many types are found throughout Europe and the Near East, though nowhere is there so large a concentration as is found on the north bank of the river Gambia. Here there are hundreds of circles containing many curious features and in particular the unique V or Lyre stones. Circles are found as far south as Portuguese Guinea and northwards into the Sahara but as far as is known the great grouping lies to the north of the Gambia and along the tributaries that reach into the Senegal. Their western boundary is Farafenni in the Gambia, and Nioro in Senegal. In the east they are found some miles beyond Tambacounda. Two circles only have been found on the south bank.

The circles are composed of standing stones between ten and twenty four in number, their height above ground varying between eight feet six inches and two feet, their diameter from one foot to three feet six inches, all the stones in a particular circle being of the same size. In style there is a considerable variety, the commonest shape being round with a flat top. Others are square in section and some taper upwards. The circles have an interior diameter varying from a little over twenty feet to about twelve. Four configurations of the interior of the circles have been noticed. The first is slightly hollowed with a low surrounding bank, but excavation of one of these, later referred to as Wassu I, showed that its shape was caused by amateurs who had previously dug it. The second interior is flat and sandy. It is thought that originally there was a sand mound above containing a burial, but that this has been worn away by wind and rain. The third type has a low gravel mound within the stones which has provided protection for the burial. The fourth type has a gravel mound with a depressed sandy centre which suggests that it is a variant of the third type.

Very often stones are found close to the circle on the eastern side. Occasionally, there are only two but generally others join them on a line running roughly north to south. Where several circles are found on the same site, the exterior stones form a continuous line as at Wassu. Small stones with a cup-shaped hollow on the top are found at some sites and there are others with a ball cut in the round on top of the stone as at Bantanto Ebrima Kah near Kaur. At Dingarai there is a recumbent stone shaped like a pillow and south of N'Jau there is a large stone that tapers to a point. Most remarkable of all the stones is a V shaped one at Ker Batch cut out of one piece of rock. This stands over six feet above ground, and is outside a double circle. Between the V stone and the outer circle is a small stone with a cup marking. Reference to the site plan shows how these stones are arranged. Some of the stones are roughly finished but others are carefully dressed and finely proportioned.

A search of the area around the stone circles often reveals isolated stones. Some of these have clearly been broken in transit but others are apparently intact and deliberately placed.

At the main sites most of the stones are still standing, the taller ones having been the first to fall. It is probable that water dripping down the stones over the centuries has loosened the surrounding sandy soil and so caused them to topple over. Alternatively, the fact that most have fallen outwards from the circles suggests that a trench may have been dug with a sloping side enabling the stone to be slid into place. If the slope had always been from the exterior side of the circle and if the soil replaced had not been tightly packed, there would be a tendency for the stones to fall outwards. As we believe the interior mounds to have been originally quite large, pressure from the mound as it collapsed would have assisted the process.

The stones are cut out of laterite, a cementation of ferruginous sandstone that occurs in large outcrops in this region. It is a feature of this stone that it hardens upon exposure to the air and that prior to such exposure it is relatively easy to quarry. At Wassu and N'Jai Kunda the quarry sites have been identified a mile or so away from the circles. With iron tools several men could have cut out one of the larger stones within a few days. The largest stones which are at N'Jai Kunda must weigh about ten tons each. They were brought down a steep hillside and their transportation on rollers or on hammocks must have presented formidable difficulties and have required a considerable labour force.

DESCRIPTION DES CERCLES DE PIERRES ET DES PIERRES ISOLEES DE GAMBIE

Bien qu'il n'existe pas en Afrique occidentale de monuments comparables aux pyramides et aux temples de l'ancienne Egypte ou aux ruines de Zimbabwe en Rhodésie, on y trouve, au Sénégal et en Gambie, des cercles de pierre, vestiges impressionnants qui ont depuis longtemps éveillé la curiosité des quelques voyageurs qui les ont vus. On rencontre en Europe et au Proche-Orient des rangées concentriques de pierres de différents types, mais elles ne sont nulle part aussi concentrées que sur la rive nord de la Gambie. Il y a là des centaines de cercles présentant de nombreuses caractéristiques étranges, en particulier les pierres en forme de V ou de lyre qui sont uniques. On trouve ces cercles vers le Sud jusqu'en Guinée portugaise et vers le nord jusque dans le Sahara, mais dans l'état actuel des connaissances, les groupements les plus importants sont situés au nord de la Gambie et le long de ses affluents qui coulent au Sénégal. A l'ouest ils ne dépassent pas Farafenni en Gambie et Nioro au Sénégal; à l'est ils vont jusqu'à quelques kilomètres au-delà de Tambacounda. On n'en a trouvé que deux sur la rive sud du fleuve.

Les cercles sont formés de pierres dressées au nombre de 10 à 24, hautes de 0,60 m à 2,70 m environ : leur diamètre varie de 0,30 m à 1,10 m environ; toutes les pierres d'un même cercle sont de la même dimension. Il y a une grande variété de types, la forme la plus commune étant circulaire avec un sommet plat. D'autres ont une section carrée et certains vont en s'amenuisant vers le haut. Le diamètre intérieur des cercles va d'environ 3,80 m à un peu plus de 6,40 m.

On a observé quatre configurations à l'intérieur des cercles. La première est légèrement en creux avec un talus bas autour, mais les excavations de l'une de celles-ci, nommée par la suite Wassu I, ont révélé que cette forme provenant de ce que le cercle avait été précédemment creusé par des curieux. La seconde configuration est plate et sablonneuse. On pense qu'il y avait à l'origine un tertre de sable contenant une sépulture qui aurait été érodée par le vent et les pluies. La troisième configuration est formée par un tertre de graviers de faible hauteur à l'intérieur des pierres qui a offert une protection à la sépulture. La quatrième configuration présente un tertre en graviers avec au centre une cuvette sablonneuse qui fait croire qu'elle est une variante de la troisième.

Très souvent on découvre des pierres à proximité du cercle du côté est. Il n'y en a quelquefois que deux, mais généralement il y en a plus sur une ligne qui va approximativement du nord au sud. Lorsqu'il y a plusieurs cercles au même endroit, les pierres de l'extérieur forment un alignement continu comme à Wassu. A certains sites on trouve de petites pierres dont le haut est évidé et à d'autres il y a une boule découpée dans la masse au sommet des pierres comme à Bantanto Ebrima Kah près de Kaur. A Dingarai il y a une pierre couchée en forme d'oreiller et au sud de N'Jau il y a une grosse pierre qui s'affine en pointe. La pierre la plus remarquable est la pierre en forme de V découpée d'une seule pièce dans une roche, à Ker Batch. Elle mesure plus de 2 mètres de haut et est posée à l'extérieur d'une double rangée concentrique. Entre la pierre en V et le cercle extérieur il y a une petite pierre creusée en cuvette. Le plan du site montre la disposition des pierres. Certaines sont restées rugueuses mais d'autres sont soigneusement polies et ont de belles proportions.

Les recherches autour des cercles révèlent souvent des pierres isolées. Certaines ont été visiblement cassées lors du transport mais d'autres sont apparemment intactes et placées avec soin.

Dans les sites principaux, la plupart des pierres sont encore debout, les plus hautes sont les premières à tomber. Il est probable que l'eau qui s'est égouttée le long des pierres pendant des siècles a ameubli la terre sablonneuse à la base et ainsi causé la chute de la pierre. Ou bien, le fait que la plupart des pierres se sont effondrées vers l'extérieur indiquerait qu'il pourrait y avoir eu une tranchée avec un côté en pente pour permettre de glisser la pierre jusqu'à son emplacement. Si la pente avait toujours été dirigée vers l'extérieur et si le remblayage n'avait pas été suffisamment fort, les pierres auraient eu tendance à tomber vers l'extérieur. Comme nous estimons que les tertres intérieurs étaient à l'origine assez importants, la pression exercée par leur écroulement aurait contribué au renversement.

Les pierres sont découpées dans de la latérite, roche à base de grès ferrugineux qui affleure par grandes quantités dans la région. Cette pierre a pour caractéristique de durcir au contact de l'air et, avant d'être à l'air, elle est relativement facile à extraire. A Wassu et à N'Jai on a découvert les carrières à un kilomètre et demi environ de distance des cercles. Plusieurs hommes auraient pu tailler en quelques jours l'une des pierres les plus grandes, avec des outils de fer. Les plus grosses pierres, qui sont à N'Jai Kunda et qui doivent peser environ dix tonnes ont été descendues le long d'une colline abrupte et leur transport au moyen de rouleaux et de cordages doit avoir présenté d'énormes difficultés et nécessité une main d'œuvre considérable.

BESCHREIBUNG DER STEINKREISE UND DER VEREINZELT STEHENDEN STEINE GAMBIAS

Obwohl es in Westafrika keine mit den Pyramiden oder den alten Tempel Ägyptens und den Ruinen von Zimbabwe in Rhodesien vergleichbare Baudenkmäler gibt, findet man dort doch - in Senegal und in Gambia - eindrucksvolle Überreste: Steinkreise, die schon seit langem die Wissbegier der wenigen Reisenden, die sie gesehen haben, erweckten. Man findet in Europa und im Nahen Osten verschiedene Typen konzentrischer Steinreihen, aber nirgendwo sind sie so häufig anzutreffen wie auf dem Nordufer der Gambia. Man findet dort hunderte von Kreisen mit zahlreichen seltsamen Charateristiken, besonder mit V- oder leyerförmig geordneten Steinen, die einzigartig sind. Auf diese Kreise trifft man auch im Süden bis nach Portugiesisch-Guinea und dem Norden zu bis zur Sahara. Doch nach den augenblicklichen Ergebnissen der Forschung befinden sich die bedeutendsten Gruppen im Norden der Gambia und längs ihrer in Senegal fliessenden Nebenflüsse. Im Westen findet man sie nicht weiter als Farafenni in Gambia und Nioro im Senegal. Im Westen findet man sie noch einige Kilometer jenseits von Tambacounda. Man hat aber nur zwei auf dem Südufer des Flusses ausgemacht.

Die Kreise werden von 10 bis 24 aufrecht stehenden Steinen gebildet, die 60 cm bis 2 m 70 hoch sind; ihr Durchmesser liegt zwischen 30 cm und 1 m 10. Alle Steine eines Kreises haben das gleiche Ausmass. Es gibt eine grosse Mannigfaltigkeit von Typen; die Form, die man am häufigsten antrifft, ist kreisrund mit einem platten Scheitelpunkt. Andere wieder haben eine viereckige Schnittfläche, und wieder andere Kreise sind zwischen 3 m 80 und 6 m 50 gross. Im Innern der Kreise hat man vier Gestaltungen beobachten können. Die erste ist leicht ausgehöhlt und wird von einer niedrigen Böschung umgeben. Doch die Aushöhlungen einer von diesen - nachstehend Wassu I genannt - haben es ermöglicht festzustellen, dass diese Form dadurch entstanden ist, dass Neugierige diesen Kreis vorher ausgehöhlt hatten. Die zweite Gestaltung ist platt und sandig. Man nimmt an, dass es sich ursprünglich um eine sandige Anhöhe handelte, die eine Grabstätte enthielt, die dann von Wind und Regen abgetragen wurde. Die dritte Gestaltung wird von einem niedrigen Kieshügel im Innern der Steine gebildet, der wohl der Grabstätte als Schutz diente. Die vierte Gestaltung stellt einen Kieshügel dar, in dessen Zentrum sich eine sandige Mulde befindet, die darauf schliessen lässt, dass es sich da wohl um eine Variante der dritten Gestaltung handelt.

Sehr oft entdeckt man Steine in der Nähe des Kreises an der dem Osten zuliegenden Seite. Manchmal findet man nur zwei, aber im allgemeinen sind es mehrere, die sich auf einer ungefähr nord-südlich orientierten Linie befinden. Wenn sich mehrere Kreise am gleichen Ort befinden, bilden die äusseren Steine eine ununterbrochene gerade Linie wie bei Wassu. In manchen Stätten findet man kleine Steine, deren Oberteil ausgehöhlt ist, in anderen wieder eine in die Masse geschnittene Kugel auf dem Scheitel der Steine, wie in Bantanto Ebrima Kab in der Nähe von Kaur. In Dingarai befindet sich ein liegender Stein, in Kopfkissenform, und im Süden von N'Jai, ein grosser Stein mit scharf zulaufender Spitze. Der bemerkenswerteste Stein ist der V-förmig - aus einem Stück - in den Felsen gehauene Stein in Ker Batch. Er ist 2 m hoch und ist am Ende einer doppelten konzentrisch verlaufenden Reihe aufgestellt. Zwischen dem V-förmigen Stein und dem äusseren Kreise befindet sich ein kleiner muldenförmig ausgehöhlter Stein. Der Plan der Stätte zeigt die Anlage der Steine. Manche sind rauh geblieben, andere wieder sind auf das sorgfältigste poliert und wohlproportioniert.

Die Suche in der Umgebung der Kreise bringt oft einzelne Steine ans Tageslicht. Manchen sieht man es an, dass sie beim Transport zerbrochen wurden, aber andere wieder scheinen intakt und sorgfältig an ihren Platz gestellt worden zu sein.

In den wichtigsten Stätten stehen die meisten Steine noch aufrecht dar; die höchsten sind die, die zuerst fallen. Wahrscheinlich hat das Wasser, das jahrhundertelang die Steine entlang rann, den sandigen Boden an der Basis aufgelockert und so den Fall der Steine verursacht. Die Tatsache, dass die meisten Steine nach aussen hin zusammengestürzt sind, dürfte darauf schliessen lassen, dass sie eine abgeschrägte Schnittfläche hatten, die es ermöglichen sollte, den Stein bis zu seinem Standort gleiten zu lassen. Wenn die Abschrägung nach aussen gerichtet war und wenn die Erdaufschüttung nicht stark genug war, hatten die Steine natürlich Tendenz nach aussen zu fallen. Da anzunehmen ist, dass die inneren Böschungen ursprünglich ziemlich bedeutend waren, hat der durch ihren Zusammensturz hervorgerufene Druck zum Umstürzen der Steine beigetragen.

Die Steine sind in Laterit gehauen (Felsen aus eisenhaltigem Sandstein), der in der Region in grossen Mengen an der Oberfläche des Bodens. zu Tage tritt. Es ist charakteristisch für diesen Stein, beim Kontakt mit der Luft zu erhärten. Bevor er mit der Luft in Berührung kommt, ist er ziemlich leicht zu schürfen. In Wassu und in N'Jai hat man Steinbrüche entdeckt, die nur ungefähr 1 1/2 km von den Kreisen entfernt liegen. Mehrere Menschen hätten in einigen Tagen einen der grössten Steine mit eisernen Werkzeugen zuhauen können. Die grössten Steine, die man in N'Jai Kunda findet - und die ungefähr 10 t wiegen - hat man den steilen Hügel hinuntergebracht. Ihr Transport ist wohl mittels Rollen und Seilen vor sich gegangen. Er muss äusserst schwierig gewesen sein und den Einsatz starker Arbeitskräfte erforderlich gemacht haben.

BESKRIVNING AV DE I RINGAR PLACERADE OCH AV ENSTAKA STENAR I GAMBIA

Även om Västafrika inte har några monument som går att jämföra med det gamla Egyptens pyramider och tempel eller med ruinerna i Zimbabwe i Rodesia, finns dock, i Senegal och Gambia, imponerande spår av stenringar, som sedan lång tid tillbaka har väckt nyfikenhet hos de resenärer som sett dem. I Europa och Främre Östern finns koncentriska stenrader av olika slag, men ingenstans är de så koncentrerade som på Gambiaflodens norra strand. Där finns hundratals ringar, som företer ett otal besynnerliga drag, i synnerhet stenar i form av ett V eller en lyra, vilka är unika i sitt slag. Dessa ringar förekommer söderut, ända till portugisiska Guinea och norrut ända uppe i Sahara. Av vad man nu känner till finns dock de mest omfattande grupperingarna norr om Gambiafloden och längs dess bifloder, som rinner in i Senegal. I väster finner man inga ringar bortom Farafenni i Gambia och Nioro i Senegal; i öster förekommer de ända till några kilometer bortom Tambacounda. På flodens södra strand har man endast hittat två stycken.

Ringarna utgörs av mellan 10 och 24 stenar, som är cirka 0,60 till 2,70 meter höga. Deras diameter varierar mellan cirka 0,30 och 1,10 meter. Samtliga stenar i en och samma ring har samma dimension. Det existerar en mängd typer och den mest vanliga är cirkelformig med platt topp. Andra har ett fyrkantigt parti och vissa smalnar av uppåt. Ringarnas inre diameter varierar mellan cirka 3,80 till något över 6,40 meter.

Man har lagt märke till fyra olika former inne i ringarna. Den första har en smärre urholkning med en låg vall runt omkring. Vid utgrävningarna av en av dessa, som fick namnet Wassu I, uppenbarades dock att denna form berodde på att nyfikna personer tidigare grävt i ringen. Den andra utformningen är platt och sandhaltig. Man tror att det från början var fråga om en gravsandkulle, som eroderats av vind och vatten. Den tredje formen utgörs av en innanför stenarna belägen, föga hög gruskulle, som skyddade graven. Den fjärde slutligen har en gruskulle med en sandhaltig grop i mitten, vilket får oss att tro, att det är en variant av den tredje.

Mycket ofta upptäcker man stenar i närheten av ringens östra sida. Ibland finns det bara två, men vanligtvis är de fler och uppställda på en linje som approximativt löper från norr till söder. Då flera ringar förekommer på samma ställe, bildar de yttre stenarna, som i Wassu, en kontinuerlig linje. På vissa platser finner man små stenar, vars övre del är urholkad och andra har på toppen ett i stenen uthugget klot. Så är fallet till exempel i Bantanto Ebrima Kah i närheten av Kaur. I Dingarai finns en liggande sten i form av en huvudkudde och söder om N'Jau en stor sten som smalnar av i en spets. Den märkligaste stenen är den ur ett enda klippstycke utmejslade V-formade stenen i Ker Batch. Den är över 2 meter hög och är uppställd utanför en dubbel koncentrisk rad. Mellan den V-formade stenen och den yttre cirkeln står en liten urholkad sten. Planen över området visar stenarnas disposition. Vissa är skrovliga medan andra omsorgsfullt polerats och fått vackra proportioner.

Sökandet runt ikring ringarna uppenbarar ofta enstaka stenar. Vissa har av allt att döma gått sönder under transporten medan andra uppenbarligen är intakta och utplacerade med flit.

På de viktigaste platserna står de flesta stenarna fortfarande upprätt. De högsta är de första som ramlar omkull. Det är troligt att det vatten, som under sekel droppat längs stenarna, luckrat upp den sandhaltiga jorden vid basen och förorsakat att de ramlat omkull. Det är också tänkbart att det faktum, att de flesta stenarna fallit omkull utåt innebär att det kanske fanns ett dike med en lutande sida för att göra det möjligt att glida stenen på plats. Om lutningen ständigt var riktad utåt och om uppstöttningen med jord inte var tillräckligt kraftig, skulle stenarna ha tenderat att falla utåt. Eftersom vi tror att kullarna inne i ringarna ursprungligen var ganska omfattande torde det tryck de utövade då de rasade ihop ha bidragit till att störta omkull stenarna.

Stenarna är uthuggna i laterit, en bergart som huvudsakligen består av järnhaltig sandsten och som går i dagen i stora kvantiteter i denna region. Denna sten har den egendomligheten att den hårdnar vid kontakten med luft och är, innan den kommer i dagen, relativt lätt att bryta. I Wassu och N'Jau har man hittat stenbrott på cirka en och en halv kilometers avstånd från ringarna. Ett flertal män torde på några dagar, med hjälp av järnverktyg, ha kunnat hugga till en av de största stenarna. De största stenarna, som finns i N'Jau Kunda och som torde väga cirka tio ton, har fraktats ner längs en brant kulle. Förflyttningen, förmedelst valsar och rep, torde ha ställt enorma svårigheter och krävt en omfattande arbetskraft.

A little history

Un peu d'histoire

Ein wenig Geschichte

En smula historia

European Contacts

A Portuguese expedition under Cadamosto sailed up the Gambia in 1455 but had to turn back because of the hostile reaction of the inhabitants. The following year, however, they returned and were able to trade with a friendly chief about 100 km upstream. Further expeditions traded with peoples far up the Gambia river and a number of Portuguese attempted to settle along its banks. They failed to find the mineral wealth they had hoped for but they did trade for beeswax, hides and small quantities of gold and ivory. Eventually they began to buy slaves as well.

The missionaries who soon followed had little success in converting the local people, many of whom were already under the influence of Islam. The handful of Portuguese who remained intermarried and very gradually became absorbed, losing their links with Portugal.

English and French ships began to arrive in the area during the 16th century and traded successfully with a number of chiefs. During the first half of the 17th century, they made unsuccessful attempts to establish settlements on the Gambia. The Baltic state of Courland sent an expedition in 1651 and purchased the right to occupy Banjul (meaning Bamboo Island) from the chief of Kombo and, from the chief of Barra, an island 26 km upriver which they named St Andrews Island.

Charles II of England founded the Royal Adventurers Trading to Africa whose main object was to purchase slaves for the West Indian and American plantations. In 1661 the company captured St Andrews Island, renaming it James Island, built a fort on it and founded the first English settlement on the West African coast. Their monopoly of the slave trade on the Gambia river eventually passed to the Royal African Company. For nearly 200 years there was continuous rivalry between the English and the French who had supremacy in the Senegal and Cape Verde region. Fort James itself was repeatedly plundered by either the French or by privateers in the last years of the 17th century and the first half of the 18th. Meanwhile the Royal African Company became insolvent and in 1752 was finally dissolved. An Act of Parliament of 1750 created a new Company of Merchants Trading to Africa which did not trade itself but regulated the trade of private merchants in the area. In this period about a thousand slaves a year were being transported from the Gambia.

In 1758 England captured the main trading bases in the Senegal area and the island of Gorée but British traders on the river continued to be harassed by the French, so in 1765, Parliament passed an act creating the Crown Colony of Senegambia, in which the Senegal and Gambia areas were to be administered jointly. The French continued to trade on the river and in 1779 a French force reoccupied St Louis and Fort James on the Gambia was razed. The Colony of Senegambia ceased to exist in 1783 when the Treaty of Versailles restored St Louis to France, while the French recognised the Gambia area as a British possession. Meanwhile, individual merchants maintained English trade on the river and built stations at various points.

The African slave trade was abolished by Act of Parliament in 1807 and in order to ensure that the traffic was stopped on the Gambia, the British Government needed to establish a military base there. In 1816 a treaty made with the chief of Kombo allowed the British to occupy the island of Banjul in return for protection and an annual payment of 103 bars of iron. The settlement which they formed on the island was named Bathurst, after the then Secretary of State for the Colonies, and the island was renamed St Mary's Island.

In 1821, an Act of Parliament had placed all forts and settlements in West Africa under the jurisdiction of the Governor of Sierra Leone, and until 1888 the Gambia was governed jointly with Sierra Leone, apart from the period 1843-66 when it was administered separately. A new agreement concluded with the chief of Kombo in 1827 allowed St Mary's Island to be annexed directly to the Crown. During the 19th century, other territories were added to the Colony of St Mary's Island as protectorate treaties were made with various local chiefs along the Gambia valley. Bathurst with its immediate environs was a relatively peaceful and well-administered area and groundnuts from the upriver areas began to be exported.

However, outside the actual Colony there was a continuous warring between ethnic groups. In particular, there were the religious wars of the second half of the 19th century which broke out when the Marabouts set out to impose a very strict form of Islam on the peoples of the Gambia valley, most of whom were ruled by Soninki chiefs. The wars, which gradually lost their religious element, lasted until the 1890's and caused many of the traditional rulers along the river to ask for British protection. They also disrupted British trade, but the Colonial Office refused to take any action to stop them as the Governor's own military force was very small and sufficient only to protect the Colony itself.

The British were in fact anxious to sever their links with the Gambia. During the 1860's and 1870's, Britain negotiated with France, hoping to exchange the Gambia area for territory elsewhere. In 1888 the Colony and Protectorate was separated from Sierra Leone and given its own administration. In 1889, the French finally agreed to relinquish their trading rights on the river and a boundary settlement was reached, determining the country's character as an enclave almost bisecting Senegal - although the border was not fully defined until 1904. Further treaties were signed with most of the chiefs along the river and a protectorate system of indirect rule was declared in 1894. The administration at Bathurst, which consisted of the Governor together with a handful of assistants, an executive and a legislative council, was on such a small scale that it had little impact on the social or economic structure of the country right up to 1945.

In the 1950's improvements were made to the road network, Bathurst harbour and the social services. In the years 1948-51, an attempt was made to diversify exports with the launching of the Yundum scheme for large-scale egg production - a scheme which ended in total failure.

During this period, the first Gambian political parties were formed; the Democratic Party, Muslim Congress Party and United Party, all drawing their support mainly from the Wolof of Bathurst. In 1960 the People's Progressive Party (PPP), led by Dawda Jawara, was founded, the first to be based mainly on the people of the interior, the numerically dominant Mandingo.

Progress towards internal self-government and later, independence, was on the whole achieved in a peaceful and orderly manner. A House of Representatives was established in 1960 and a Chief Minister appointed the following year. Universal adult suffrage was introduced in 1962 and the next year the Chief Minister became Prime Minister, heading a cabinet of ministers, while the Governor retained powers only over internal security and foreign affairs. On 18 February 1965, the Gambia became independent under a coalition government led by Jawara and Pierre N'Jie, founder of the United Party.

Since Independence

The Gambia has enjoyed a high degree of stability since independence, being the only former British West Africa territory not to have experienced a military coup and one of the few African countries to have no political prisoners. The PPP has remained in power since 1966. A referendum held in 1965 on a proposal for a republican constitution resulted in a negative vote but at a later referendum the proposal was accepted by the majority and in 1970 the Gambia became a republic with Sir Dawda Jawara as President. He was re-elected in the March 1972 and March 1977 general elections.

Executive

Executive authority is vested in the Cabinet which is led by the President and also includes nine ministers and the Attorney-General. The Vice-President is the leader of Government Business in the House of Representatives.

Legislature

Parliament consists of the House of Representatives which has a speaker and a deputy speaker (elected by the House) and 32 members (elected by universal adult suffrage), four chiefs (elected by the chiefs in assembly), three nominated members and the Attorney-General. Parliaments have a five-year term.

Judiciary

The legal system of the Gambia is based on English common law, supplemented and modified by Gambian legislation. The Supreme Court consists of the Chief Justice and the Puisne Judge and has unlimited jurisdiction. Appeal lies to the Court of Appeal which consists of a President, Justice of Appeal and other judges of the Supreme Court. There are magistrates' courts at Banjul and Kanifing and also divisional courts: all these are presided over by a magistrate or by two or more lay justices of the peace. In addition, there is a system of travelling magistrates, introduced in 1974. Appeal from these courts, which have limited civil and criminal jurisdiction, lies to the Supreme Court. There are also "group tribunals" which may try minor criminal cases and administer traditional law and custom, including those dealing with land matters. Muslim courts administer the Sharia law in appropriate cases relating to civil status, marriage, succession, donations, testaments and guardianship.

External Relations

The Gambia became a member of the Commonwealth on independence in 1965, is a member of the United Nations and many of the organisations within the UN. It is also a member of the Organisation of African Unity (OAU), the African Development Bank, the Economic Community of West African States (ECOWAS) the Permanent Inter-State Committee for Drought in the Sahel and is associated with the European Economic Community (EEC) through the Lomé Convention.

Seven countries have embassies or high commissions in Banjul and the Gambia has permanent diplomatic representation in London, Dakar, Freetown, Jeddah, Tripoli, Lagos and Brussels. It has diplomatic relations with more than 35 other countries.

The Gambia has always feared being absorbed by its much larger neighbour Senegal and the Government believes that, although some kind of union between the two countries is inevitable, this should be in the form of a loose association, achieved very gradually through economic integration and co-operation.

A treaty of association was concluded with Senegal in 1967 but since then only very limited forms of co-operation have been developed in the fields of education, culture, communications and border demarcation. Occasional border incidents still occur. President Jawara visited Senegal in 1973 for talks, and President Senghor of Senegal paid a return visit to the Gambia in 1976. There is a permanent Senegambian Secretariat based in Banjul and an interministerial committee which meets from time to time to discuss matters of co-operation.

Since 1973, closer ties have been formed with Arab countries, the Soviet Union and China. When diplomatic relations were established with the latter country in 1974, this signalled the end of the Gambia's relationship with Taiwan which, since the signing of a co-operation agreement in 1968 has been assisting the Gambia with rice-growing schemes.

Relations avec l'Europe

En 1455 des voyageurs portugais commandés par Cadamosto remontèrent la Gambie mais durent faire demi-tour en raison de la réaction hostile des habitants. L'année suivante, cependant, ils revinrent et purent faire des échanges avec un chef ami, à 100 km environ en amont. D'autres expéditions établirent des relations commerciales avec les peuples assez loin en amont de la Gambie et quelques portugais essayèrent de s'installer sur les rives du fleuve. Ils ne réussirent pas à découvrir les ressources minérales qu'ils espéraient trouver mais ils achetèrent de la cire d'abeille, des peaux, de petites quantités d'or et d'ivoire. Par la suite, ils se mirent à faire aussi la traite des esclaves.

Les missionnaires qui arrivèrent bientôt n'eurent pas grand succès dans leurs essais de conversion des habitants dont un grand nombre était déjà sous l'influence de l'Islam. Les quelques Portugais qui restèrent se marièrent entre eux et s'assimilèrent peu à peu, perdant tout contact avec le Portugal.

Au seizième siècle des navires anglais et français ont commencé à arriver dans la région et ont effectué des échanges avec certains chefs locaux. Les Anglais et les Français ont tenté, sans y réussir, de créer des établissements en Gambie. L'état balte de Courlande a envoyé une expédition en 1651 et a acheté, au chef de Kombo, le droit d'occuper Banjul (c'est-à-dire l'île des Bambous), et, au chef de Barra, une île à 26 km en amont qu'on a nommé l'île St André.

Charles II d'Angleterre créa le "Royal Adventurers Trading to Africa" dont l'objet principal était l'achat des esclaves pour les plantations des Antilles et d'Amérique. En 1661 la compagnie prit l'île St André, la renomma île St James, y construisit un fort et créa le premier établissement britannique sur la côte de l'Afrique occidentale. Son monopole du commerce des esclaves sur le fleuve Gambie passa par la suite à la Royal African Company. Pendant près de 200 ans la rivalité entre les Anglais et les Français qui avaient la suprématie au Sénégal et au Cap Vert persista. Fort James fut pillé à maintes reprises par les Français ou par des corsaires au cours des dernières années du 17ème et de la première moitié du dix-huitième siècles. Pendant ce temps la Royal African Company entra en déconfiture et fut finalement dissoute en 1752. Une loi de 1750 créa une nouvelle compagnie, la Company of Merchants Trading to Africa, qui ne faisait pas elle-même de commerce mais règlementait le commerce des marchands individuels dans la région. A cette époque on emmenait de Gambie environ mille esclaves par an.

C'est en 1758 que les Anglais ont conquis les principaux comptoirs commerciaux dans la région du Sénégal et l'île de Gorée, mais ils continuaient à être attaqués par les Français de sorte que le Parlement britannique vota une loi créant la colonie de la Couronne de Séné-gambie où le Sénégal et la Gambie seraient administrés conjointement. Les Français continuèrent leur commerce sur le fleuve et en 1779 une unité française réoccupa Saint Louis et Fort James sur la Gambie fut rasé. La colonie de Sénégambie cessa d'exister en 1783 avec le retour à la France de St Louis aux termes du traité de Versailles par lequel les Français reconnurent que la Gambie était possession britannique. Pendant ce temps des marchands individuels maintinrent le commerce britannique le long du fleuve et construisirent des comptoirs à différents endroits.

Par une loi de 1807 le Parlement britannique a supprimé la traite des Noirs d'Afrique et pour assurer la cessation de ce trafic en Gambie le Gouvernement britannique a dû créer dans le pays une base militaire. Aux termes d'un traité de 1816, le Chef de Kombo a autorisé le Royaume Uni à occuper l'île de Banjul en contrepartie de protection et du paiement de 103 lingots de fer. La base ainsi créée sur l'île fut nommée Bathurst, nom du Secrétaire d'Etat aux Colonies de l'époque et l'île fut renommée Sainte Marie.

En 1821 une loi avait placé tous les forts et comptoirs d'Afrique occidentale sous l'autorité du Gouverneur de la Sierra Leone et jusqu'en 1888 la Gambie fut administrée conjointement à ce pays sauf de 1843 à 1866 où elle fut administrée séparément. Un nouvel accord conclu en 1827 avec le Chef de Kombo permettait l'annexion directe de l'île Ste Marie à la Couronne. Au cours du 19ème siècle d'autres territoires ont été ajoutés à la Colonie de l'île Ste Marie à mesure que des traités de protectorat étaient conclus avec différents chefs locaux le long de la vallée de la Gambie. Bathurst et ses environs immédiats constituaient une zone relativement paisible et bien administrée et on a commencé à exporter les arachides produites dans les régions en amont.

Cependant en dehors de la colonie proprement dite les groupes ethniques se faisaient la guerre en permanence. En particulier, des guerres de religion éclatèrent pendant la seconde moitié du 19ème siècle, les Marabouts ayant décidé d'imposer aux peuplades de la vallée de la Gambie dont la plupart étaient gouvernées par des chefs Soninki des règles musulmanes très strictes. Les guerres qui perdirent peu à peu leur caractère religieux durèrent jusqu'aux années qui suivirent 1890 et amenèrent de nombreux chefs traditionnels le long du fleuve à rechercher la protection du Royaume Uni. Ces guerres bouleversèrent aussi le commerce britannique, mais le Colonial Office refusa de prendre des mesures pour y mettre fin, les forces militaires propres du Gouverneur étant réduites et seulement suffisantes pour la protection de la colonie elle-même.

En fait, le Royaume-Uni était désireux d'interrompre les relations avec la Gambie. De 1860 à 1880 il a négocié avec la France espérant échanger la Gambie contre d'autres territoires. En 1888, la colonie et le protectorat ont été séparés de la Sierra Leone et administrés en propre. En 1889 la France a enfin accepté de renoncer à ses droits commerciaux le long du fleuve et un accord est intervenu sur la fixation des frontières donnant au pays l'aspect d'une bande de terrain coupant presque en deux le Sénégal, mais les frontières n'ont été définitivement tracées qu'en 1904. D'autres traités ont été conclus avec la plupart des chefs le long du fleuve et un système de gouvernement indirect par protectorat a été institué en 1894. L'administration de Bathurst par le Gouverneur et quelques collaborateurs, un conseil exécutif et législatif, avait une importance si secondaire qu'elle n'a eu guère de répercussion sur la structure sociale ou économique du pays jusqu'en 1945.

Dans les années qui ont suivi 1950, le réseau routier a été amélioré; ainsi que le port de Bathurst et les services sociaux. De 1948 à 1951 on a essayé de diversifier les exportations en mettant en œuvre le plan Yundum de production à grande échelle d'oeufs, mais ce plan se termina par un échec total.

C'est à cette époque que se sont formés les premiers partis politiques gambiens, le Democratic Parti, le Muslim Congress Party et le United Party, tous appuyés principalement par les Wolofs de Bathurst. En 1960 est apparu le People's Progressive Party (PPP) sous la direction de Dawda Jawara; c'est le premier parti qui ait eu pour base, surtout, la population de l'arrière pays, les Mandingues, numériquement les plus nombreux.

La mise en place progressive d'une administration autonome et plus tard l'accession à l'indépendance se sont faites, dans l'ensemble, dans la paix et dans l'ordre. Une Chambre des Représentants a été instituée en 1960 et un ministre principal désigné en 1961. Le suffrage universel des adultes date de 1962 et l'année suivante le ministre principal est devenu premier ministre, chef du cabinet des ministres, le Gouverneur ne conservant de pouvoirs que pour les questions de sécurité intérieure et les affaires étrangères. La Gambie a accédé à l'indépendance le 18 février 1965 avec un gouvernement de coalition dirigé par Jawara et Pierre N'Jie, fondateur de l'United Party.

Depuis l'indépendance

La Gambie bénéficie d'une grande stabilité depuis l'Indépendance; elle est la seule des anciennes colonies britanniques qui n'ait pas eu de coup de force militaire et l'un des rares pays africains sans prisonniers politiques. Le PPP est au pouvoir depuis 1966. En 1965 un referendum sur un projet de constitution a été négatif mais un second referendum a, par la suite, voté le projet à la majorité, et, en 1970, la Gambie est devenue une République sous la présidence de Sir Dawda Jawara. Celui-ci a été réélu aux élections générales de mars 1972 et 1977.

Pouvoir exécutif

Le pouvoir exécutif est confié au Cabinet sous la direction du Président et comprenant neuf ministres et le procureur général (attorney general). Le Vice-Président est le chef pour les affaires de l'Etat au Parlement.

Législature

Le parlement est formé par la chambre des représentants qui a un président et un vice-président (élus par la chambre). Y siègent 32 membres élus au suffrage universel des adultes et quatre chefs élus par les chefs réunis en assemblée, trois membres désignés et le procureur général. Le Parlement est élu pour cinq ans.

Justice

Le système judiciaire de la Gambie est fondé sur le droit coutumier britannique complété et modifié par la législation de la Gambie. La cour suprême est composée du président et d'un conseiller et a une compétence illimitée. Les appels se font devant la Cour d'appel formée d'un président, juge d'appel et d'autres juges de la cour suprême. Il y a des tribunaux de magistrats à Banjul et à Kanifing et aussi des tribunaux divisionnaires : ils sont tous présidés par un magistrat ou par deux ou plus juges de paix non juristes. Il y a en outre un système de magistrats itinérants créé en 1974. L'appel de ces tribunaux dont la compétence civile et criminelle est limitée se fait devant la cour suprême. Des "tribunaux de groupe" peuvent connaître également des affaires criminelles mineures et appliquer le droit et la coutume traditionnels y compris les règles du droit foncier. Les tribunaux musulmans appliquent le droit Sharin dans des cas donnés traitant du statut civil, du mariage, des successions, des donations, des testaments et de la tutelle.

Relations extérieures

La Gambie est devenue membre du Commonwealth lors de son accession à l'indépendance en 1965; elle est membre de l'Organisation des Nations Unies et de nombreuses organisations liées à l'ONU. Elle est aussi membre de l'Organisation de l'Unité Africaine (OUA), de la Banque de développement africaine, de la Communauté économique des Etats de l'Afrique de l'ouest, de la Commission permanente inter états de lutte contre la sécheresse au Sahel (CILSS) et est associée à la Communauté économique Européenne (CEE) en vertu de la convention de Lomé.

Sept pays ont une ambassade ou un haut commissariat à Banjul et la Gambie a une représentation diplomatique permanente à Londres, Dakar, Freetown, Jeddah, Tripoli, Lagos et Bruxelles. Elle entretient des relations diplomatiques avec plus de 35 autres pays.

La Gambie a toujours redouté d'être absorbée par son grand voisin le Sénégal et le Gouvernement estime que, bien qu'une union entre les deux pays, sous une forme ou une autre, soit inévitable, cette union devrait être une association souple réalisée très progressivement au moyen d'une intégration et d'une coopération économiques.

En 1967 un traité a été signé avec le Sénégal mais depuis lors la coopération n'a été que très limitée et seulement en matière d'instruction, de culture, de communications et de tracé de frontière. Il se produit encore quelquefois des incidents de frontière. Le Président Jawara s'est rendu au Sénégal en 1973 pour y avoir des entretiens et M. Senghor, Président de la République du Sénégal est venu en Gambie en 1976. Il existe à Banjul un secrétariat sénégambien permanent et des comités interministériels se réunissent de temps à autre pour examiner les questions de coopération.

Depuis 1973 des contacts plus étroits ont été établis avec les pays arabes, l'Union soviétique et la Chine. Lorsque les relations diplomatiques ont été nouées avec cette dernière en 1974, celles-ci ont entraîné la fin des relations de la Gambie avec Taiwan qui, depuis la signature d'un accord de coopération en 1968 apportait à la Gambie une assistance pour un plan de culture de riz.

Beziehungen zu Europa

Im Jahre 1455 fuhren portugiesische Reisende unter dem Befehl von Cadamosto die Gambia hinauf, mussten aber wieder umkehren, da die Einwohner ihnen feindlich gesinnt waren. Im folgenden Jahre kamen sie aber wieder zurück und konnten jetzt ungefähr 100 km stromaufwärts mit einem befreundeten Chef Handel treiben. Andere Expeditionen stellten ziemlich weit stromaufwärts Handelsbeziehungen mit den Stämmen her; einige Portugiesen versuchten sogar, sich an den Flussufern niederzulassen. Es gelang ihnen nicht, die Bodenschätze zu finden, die sie erhofften; aber sie kauften Bienenwachs, Häute, kleine Mengen Gold und Elfenbein. Später betrieben sie dann auch Sklavenhandel.

Die Missionäre folgten ihnen auf dem Fuss, aber sie hatten mit der Bekehrung der Eingeborenen nicht viel Glück, denn eine grosse Anzahl von ihnen standen schon unter dem Einfluss des Islams. Die wenigen Portugiesen, die dortblieben, verheirateten sich untereinander und assimilierten sich nach und nach, wobei sie jeglichen Kontakt mit Portugal verloren. Im 16. Jahrhundert kamen englische und französische Schiffe in der Region an und betrieben Handel mit gewissen lokalen Oberhäuptern. Engländer und Franzosen versuchten - ohne Erfolg - in Gambia Kontore einzurichten. Der baltische Staat Kurland schickte 1651 eine Expedition und erwarb von dem Chef Kombo das Recht, Banjul (d.h. die Bambusinsel) zu besetzen. Dem Chef von Barra kauften sie eine 26 km stromaufwärts gelegene Insel ab, die St André benannt wurde.

Karl II. von England schuf die "Royal Adventurers Trading to Africa", deren wesentliche Aufgabe es war, Sklaven für die Pflanzungen der Antillen und Amerikas zu erwerben. 1661 eignete sich die Kompanie die Insel St André an, taufte sie auf St James um, erbaute dort ein Fort und schuf so das erste britische Kontor an der westafrikanischen Küste. Ihr Monopol für Sklavenhandel auf der Gambia ging dann später auf die "Royal African Company" über. Die Rivalität zwischen Engländern und Franzosen - die letzeren beherrschten den Senegal und die kapverdischen Inseln - dauerte 200 Jahre an. In den letzten Jahren des 17. und der ersten Hälfte des 18. Jahrhunderts wurde Fort James zu mehreren Malen von den Franzosen oder von Freibeutern geplündert. Während dieser Zeit ging es mit der "Royal African Company" bergab; sie wurde schiesslich im Jahre 1752 aufgelöst. Ein Gestz von 1750 schuf eine neue Kompanie: die "Company of Merchants Trading to Africa", die selbst keinen Handel betrieb, die aber die Handelsbeziehungen der individuellen Kaufleute in dem Gebiet regelte. Zu dieser Zeit wurden ungefähr 1.000 Sklaven jährlich aus Gambia weggeführt.

Im Jahre 1758 eroberten die Engländer die hauptsächlichen Handelsniederlassungen im Gebiet von Senegal und der Insel Gorée; sie wurden aber auch weiterhin von den Franzosen angegriffen, sodass das britische Parlament ein Gestz verabschiedete, demzufolge die Kronkolonie von Senegambia geschaffen wurde, in der Senegal und Gambia vereint verwaltet werden sollten. Die Franzosen führten auch weiterhin auf dem Fluss Handel und im Jahre 1779 besetzte eine französische Einheit wieder St Louis, und Fort James, an der Gambia, wurde geschliffen. Im Jahre 1783 wurde dem Bestehen der Kolonie von Senegambia ein Ende gesetzt, da nach den Bestimmungen des Versailler Vertrags - in dem die Franzosen Gambia als britisches Besitztum anerkannten - St Louis Frankreich wieder einverleibt wurde. Während dieser Zeit erhielten Kaufleute den britischen Handel längs des Flusses aufrecht und errichteten Kontore an verschiedenen Orten.

Durch ein 1807 angenommenes Gesetz hat das britische Parlament den Sklavenhandel in Afrika unterdrückt; um diesem Handel in Gambia endgültig entgegenzutreten, musste die britische Regierung in dem Land eine Militärbasis errichten. Gemäss den Bestimmungen des Vertrags von 1816 ermächtigte der Chef von Kombo England, die Insel Banjul zu besetzen; als Gegenleistung sollten ihm die Engländer Schutz gewähren und 103 Eisenbarren bezahlen. Die so auf der Insel errichtet Basis erhielt den Namen Bathurst - nach dem damaligen Staatssekretär für die Kolonien - und die Insel erhielt den Namen Ste Marie.

Im Jahre 1821 waren alle Forts und Kontore Westafrikas gesetzlich dem Gouverneur der Sierra Leone unterstellt worden, und bis zum Jahre 1888 wurde Gambia gemeinsam mit diesem Land verwaltet (ausser von 1843 bis 1866, wo es getrennt verwaltet wurde). Ein neuer Vertrag, der 1827 mit dem Chef von Kombo geschlossen wurde, ermöglichte den direkten Anschluss der Insel Ste Marie an die Krone. Im Laufe des 19. Jahrhunderts wurden andere Territorien der Kolonie der Insel Ste Marie einverleibt, im Masse wie Protektoratsverträge mit den verschiedenen lokalen Oberhäuptern, längs des Gambiatals geschlossen wurden. Bathurst und seine unmittelbare Umgebung bildeten eine verhältnismässige friedliche und gut verwaltete Zone, und man begann die am Oberlauf der Gambia produzierten Erdnüsse auszuführen.

Aber ausserhalb der eigentlichen Kolonie bekriegten sich die ethnischen Gruppen dauernd. Während der 2. Hälfte des 19. Jahrhunderts brachen besonders Religionskriege aus, da die Marabuts beschlossen hatten, den Völkerschaften des Gambiatals, von denen die Mehrzahl von Soninkichefs regiert wurden, sehr strenge moslemsche Regeln aufzuerlegen. Die Kriege, die nach und nach ihren religiösen Charakter verloren, dauerten noch bis in die neunziger Jahre und brachten zahlreiche traditionelle Chefs, den Fluss entlang, dazu, England um Schutz anzugehen. Diese Kriege wälzten ebenfalls den britischen Handel um, aber das Kolonialoffice weigerte sich, irgendwelche Massnahmen zu ergreifen, um dem ein Ende zu machen; denn die Streitkräfte, die dem Gouverneur unterstanden, waren nur gering und gerade ausreichend, um die Kolonie selbst zu beschützen.

England wünschte eigentlich, seine Beziehungen zu Gambia zu unterbrechen. Von 1860 bis 1880 verhandelte es mit Frankreich, in der Hoffnung, Gambia gegen andere Territorien einzutauschen. Im Jahre 1888 wurde die Kolonie und das Protektorat von der Sierra Leone getrennt und gesondert verwaltet. 1889 verzichtete Frankreich endlich auf seine Handelsrechte am Flusslauf; ein Vertrag über die Grenzziehung wurde abgeschlossen. Dieser gab dem Land das Aussehen eines Geländestreifens, der Senegal fast in zwei Teile teilte. Doch die endgültigen Grenzen wurden erst im Jahre 1904 gezogen. Andere Verträge wurden mit der Mehrzahl der am Fluss entlang wohnenden Chefs geschlossen, und ein indirektes Regierungssystem mittels Protektorat wurde im Jahre 1894 eingeführt. Die Verwaltung von Bathurst durch den Gouverneur und einige Mitarbeiter, sowie von einem gesetzgebenden und einem ausübenden Rat hatte nur eine so geringe Bedeutung, dass sie eigentlich bis zum Jahre 1945 die soziale und wirtschaftliche Struktur des Landes kaum beeinflusste.

In den darauffolgenden, d.h. in den fünziger Jahren, wurden das Strassennetz, sowie auch der Hafen von Bathurst und die Sozialdienste verbessert. Von 1948 bis 1951 versuchte man, die Ausfuhren abwechslungsreicher zu gestalten, wobei man auf den Plan Yundum: Eierproduktion in grossem Ausmass, zurückgriff; aber dieser Plan war ein ausgesprochenes Fiasko.

Zu dieser Zeit bildeten sich auch die ersten gambischen politischen Parteien: die "Democratic Party", die "Muslim Congress Party" und die "United Party", die sich alle drei hauptsächlich auf die Wolof von Bathurst stützten. 1960 erschien dann die "People's Progressive Party" (PPP) unter der Direktion von Dawda Jawara; das war die erste Partei, deren Basis sich vor allem aus der Bevölkerung des Hinterlandes, den Mandingo, die die zahlreichsten waren, zusammensetzte.

Das allmähliche Inkrafttreten einer autonomen Verwaltung und später, die Bewahrung der Unabhängigkeit, gingen im allgemeinen friedlich und ordnungsgemäss vor sich. 1960 wurde eine Repräsentantenkammer geschaffen, und ein besonderer Minister wurde im Jahre 1961 ernannt. Das allgemeine Wahlrecht wurde den Erwachsenen im Jahre 1962 zugestanden, und im folgenden Jahre wurde der besondere Minister Ministerpräsident und Regierungschef. Der Gouverneur war nur noch für die innere Sicherheit und die Auswärtigen Angelegenheiten zuständig. Am 18. Februar 1965 wurde Gambia unabhängig; an der Spitze der Koalitionsregierung standen Jawara und Pierre N'Jie, der Begründer der "United Party".

Seit der Unabhängigkeit

Seit der Unabhängigkeit hat Gambia eine grosse Stabilität gekannt. Es ist die einzige unter den ehemaligen britischen Kolonien, in denen kein militärischer Staatsstreich stattgefunden hat und eines der wenigen Länder Afrikas ohne politische Gefangene. Die PPP ist seit 1966 an der Macht. 1965 fiel ein Referendum über ein Verfassungsprojekt negativ aus, aber nach einem zweiten Referendum wurde das Projekt von einer Mehrheit angenommen. 1970 wurde Gambia dann zur Republik, unter der Präsidentschaft von Sir Dawda Jawara. Dieser wurde in den allgemeinen Wahlen von März 1972 und 1977 wiedergewählt.

Ausübende Gewalt

Die ausübende Gewalt untersteht dem Kabinett, unter Leitung des Präsidenten. Ihm gehören 9 Minister und der Staatsanwalt (attorney general) an. Der Vizepräsident wickelt die Staatsgeschäfte mit dem Parlament ab.

Legislaturperiode

Das Parlament wird von der Repräsentantenkammer gebildet. Es hat einen Präsidenten, einen Vizepräsidenten, die von der Kammer gewählt werden. Es gehören ihr 32, nach allgemeinem Wahlrecht, von den Erwachsenen gewählte Mitglieder an, sowie vier, von den in einer Versammlung zusammengetretenen Oberhäuptern gewählte Chefs. Drei Mitglieder werden von dem Staatsanwalt ernannt. Das Parlament wird für fünf Jahre gewählt.

Gerichtswesen

Das Gerichtswesen von Gambia ist teils auf dem englischen Gewohnheitsrecht, teils auf der gambischen Gesetzgebung, die ersteres vervollständigt und verändert, basiert. Der Oberste Gerichtshof hat einen Präsidenten und einen Gerichtsrat; seine Zuständigkeit ist unbegrenzt. Berufung wird vor dem Berufungsgericht eingelegt, das aus einem Präsidenten, einem Berufungsrichter und Richtern des Obersten Gerichtshofs besteht. Es bestehen Gerichte in Banjul und in Kanifing und ebenfalls Kreisgerichte: diesen stehen ein Richter oder zwei oder mehrere Friedensrichter, die keine Juristen zu sein brauchen, vor. 1974 wurde ebenfalls ein System von "Wanderrichtern" eingeführt. Die Berufung gegen die Entscheidungen dieser Gerichte, deren zivile und strafrechtliche Zuständigkeit begrenzt ist, kann vor dem Obersten Gerichtshof eingelegt werden. "Gruppengerichte" können ebenfalls über geringere Strafsachen entscheiden und Recht und Gewohnheitsrecht anwenden, die Bestimmungen des Grundrechts miteinbegriffen. Die moslemischen Gerichte wenden in bestimmten Fällen das Sharin-Recht an: Zivilstatut, Heirat, Erbschaften, Stiftungen, Testamente und Vormundschaften.

Auswärtige Beziehungen

Nach Erhalt seiner Unabhängigkeit im Jahre 1965 wurde Gambia Mitglied des Commonwealth; es gehört den Vereinten Nationen und zahlreichen, in diesen zusammengeschlossenen Organisationen an. Es ist ebenfalls Mitglied der Organisation des Vereinten Afrikas, der Bank für Afrikanische Entwicklung, der Wirtschaftsgemeinschaft der afrikanischen Weststaaten, der ständigen Interstaatenkommission für den Kampf gegen die Trockenheit im Sahel; es steht ebenfalls in Verbindung mit der Europäischen Wirtschaftsgemeinschaft, kraft des Abkommens von Lomé.

Sieben Länder haben eine Botschaft oder ein Hohes Kommissariat in Banjul, und Gambia unterhält eine ständige diplomatische Vertretung in London, Dakar, Freetown, Jeddah, Tripoli, Lagos und Brüssel. Mit 35 Ländern unterhält es diplomatische Beziehungen.

Gambia hat immer schon befürchtet, von seinem grossen Nachbarn, dem Senegal, verschlungen zu werden. Die Regierung ist der Meinung, dass eine Union zwischen den beiden Ländern in irgendeiner Form wohl unvermeidlich sei, dass diese Union aber eine geschmeidige, sich nur allmählich gestaltende Assoziation sein könne, und das vermittels einer wirtschaftlichen Integration und Zusammenarbeit.

1967 wurde mit Senegal ein Vertrag unterzeichnet. Doch war die Zusammenarbeit seitdem äusserst beschränkt und bezog sich nur auf das Lehrwesen, die Kultur, das Verkehrswesen und die Grenzziehung. Es finden sogar manchmal noch Grenzzwischenfälle statt. Im Jahre 1973 hat sich der Präsident Jawara nach Senegal begeben, um sich dort mit Herrn Senghor, dem Präsidenten der Republik Senegal zu unterhalten. Dieser ist im Jahre 1976 nach Gambia gekommen. In Banjul existiert ein ständiges senegambisches Sekretariat und interministerielle Kommissionen treten von Zeit zu Zeit zusammen, um die durch die Zusammenarbeit aufgeworfenen Fragen zu besprechen.

Seit 1973 sind engere Kontakte mit den arabischen Länder, der Sowjetunion und China hergestellt worden. Als im Jahre 1974 die diplomatischen Beziehungen mit letzterem wiederhergestellt wurden, wurden die diplomatischen Beziehungen zwischen Gambia und Taiwan abgebrochen. Mit diesem Land war im Jahre 1968 eine Vereinbarung zustande gekommen, derzufolge Taiwan Gambia bei dem Reisanbau Hilfe leisten sollte.

Förbindelser med Europa

År 1455 färdades portugisiska resenärer, ledda av Cadamostos, uppför Gambiafloden. De tvingades dock vända om på grund av invånarnas fientlighet. De kom emellertid tillbaka året därpå och lyckades, cirka 100 km uppför floden, få till stånd ett utbyte med en vänligt sinnad hövding. Under andra expeditioner knöts handelsförbindelser med olika folkslag, bosatta ännu högre upp längs Gambiafloden och några portugiser försökte slå sig ner vid flodens stränder. De lyckades inte hitta de malmfyndigheter de hoppats på utan kom i stället att syssla med inköp av bivax, djurhudar och smärre mängder guld och elfenben. Så småningom gav de sig också in på slavhandel.

De missionärer, som snart anlände, rönte föga framgång hos befolkningen, som till stor del var påverkade av den islamska religionen. De få portugiser som stannade kvar gifte sig inbördes, anpassade sig undan för undan i landet samt förlorade all kontakt med Portugal.

På 1500-talet anlände de första engelska och franska fartygen till området, varvid ett utbyte med ett antal lokala hövdingar kom till stånd. Såväl engelsmän som fransmän sökte, dock utan framgång, grunda kolonier i Gambia. År 1651 sände baltstaten Kurland en expedition till landet och köpte härvid, av Kombohövdingen, rätten till Banjul (dvs ön Bambou). Från Barra-hövdingen inköptes en ö, som fick namnet St. André, belägen 26 km uppför floden.

Kung Karl den II av England instiftade "The Royal Adventurers Trading to Africa", vars huvudsakliga verksamhet bestod i slavuppköp för plantagerna på Antillerna och i Amerika. År 1661 intog kompaniet ön St. André, som döptes om till St. James, grundade ett fort där och skapade den första brittiska kolonin på den västafrikanska kusten. Slavhandelsmonopolet på Gambiafloden övergick senare till Royal African Company. Rivaliteten mellan engelsmän och fransmän, vilka hade herraväldet över Senegal och Cap Verde-öarna, varade i nära 200 år. Under 1600-talets sista år och under första hälften av 1700-talet plundrade fransmän eller sjörövare vid ett otal tillfällen Fort James. Samtidigt vidkändes Royal African Company stora svårigheter och kom år 1752 slutligen att upplösas. En lag av år 1750 instiftade ett nytt kompani, benämnt Company of Merchants Trading to Africa. Detta idkade inte självt någon handel men reglerade den, som enstaka handelsmän idkade i området. Vid denna tidpunkt deporterades cirka 1 000 slavar årligen från Gambia.

1758 erövrade engelsmännen de viktigaste handelsutposterna i Senegal och på ön Gorée. Men då de alltjämt angreps av fransmännen, antog det brittiska parlamentet en lag, som skapade kronkolonin Senegal-Gambia med gemensam förvaltning. Fransmännen fortsatte sin handel på floden och 1779 återerövrade ett franskt förband St. Louis samt ödelade Fort St. James vid Gambiafloden. År 1783, i och med att Frankrike fick tillbaka St. Louis och, i enlighet med Versailles-överenskommelsen tillstod att Gambia var en brittisk besittning, upplöstes kolonin Senegal-Gambia. Under tiden vidmakthöll enstaka handelsmän den brittiska handeln längs floden samt upprättade handelsutposter på olika ställen.

Med en lag av år 1807 avskaffade det brittiska parlamentet handeln med svarta afrikaner. För att garantera att denna trafik verkligen upphörde, tvingades den brittiska regeringen skapa en militärbas i landet. Enligt ett år 1816 träffat avtal godkände Kombohövdingen att Storbritannien tog ön Banjul i besittning i utbyte mot beskydd och 103 järntackor. Den till denna ö förlagda basen fick namnet Bathurst efter dåvarande kolonistatssekreteraren och ön kallades Sainte Marie.

.En lag från 1821 lade samtliga fort och utposter i Västafrika under Sierra Leones guvernör. Fram till 1888, med undantag för åren 1843 till 1866, då Gambia förvaltades separat, administrerades landet i förening med Sierra Leone. Ett nytt avtal, som träffades med Kombo-hövdingen år 1827, gjorde det möjligt att direkt annektera ön Sainte Marie till kronan. Under loppet av 1800-talet lades ytterligare territorier, allteftersom protektorat-överenskommelser träffades med olika lokala hövdingar längs Gambiaflodens dalgång, till Sainte Marie-kolonin. Bathurst och dess omedelbara omgivningar utgjorde en relativt fridfull och väl förvaltad zon och man började exportera de jordnötter, som producerades i de uppströms belägna områdena.

Bortsett från själva kolonin låg emellertid de olika folkslagen ständigt i krig med varandra. I synnerhet utbröt religionskrig under 1800-talets andra hälft och detta av den anledningen att Marbutfolket hade beslutat sig för att påtvinga folkstammarna i Gambiaflodens dalgång, varav flertalet leddes av Soninkihövdingar, mycket stränga musulmanska regler. Krigen, som undan för undan förlorade sin karaktär av religionskrig, varade en bit in på 1890-talet och medförde att en mängd traditionella hövdingar längs floden sökte brittiskt beskydd. Krigen vände också upp och ner på den brittiska handeln. Emellertid vägrade Colonial Office, eftersom guvernörens egna militära styrkor var begränsade och endast förmådde skydda själva kolonin, att vidtaga någon som helst åtgärd för att få ett slut på krigen.

Storbritannien önskade i själva verket avbryta sina förbindelser med Gambia. Mellan 1860 och 1880 förhandlade man med Frankrike i hopp om att byta Gambia mot andra territorier. 1888 skildes kolonin och protektoratet från Sierra Leone och förvaltades separat. 1889 gick Frankrike slutligen med på att avstå från sina handelsrättigheter längs floden och en överenskommelse träffades beträffande gränsdragningen. Denna fick landet att se ut som en markremsa, som delade Senegal nästan mitt itu. Men det var först 1904 som gränserna slutgiltigt fastställdes. Andra överenskommelser träffades med de flesta hövdingarna längs floden och år 1894 instiftades ett indirekt regeringssystem genom protektorat. Guvernörens, några av dennes medarbetares och ett verkställande och lagstiftande råds förvaltning av Bathurst var så föga betydelsefullt att den, ända fram till 1945, knappast fick någon återverkan på landets sociala eller ekonomiska struktur.

Under 1950-talet förbättrades vägnätet liksom hamnen i Bathurst och de sociala inrättningarna. Mellan 1948 och 1951 sökte man variera exporten genom att verkställa den så kallade Yundumplanen berörande äggproduktion i stor skala. Emellertid misslyckades denna plan totalt.

Det var vid denna tidpunkt som de första gambiska politiska partierna bildades: Democratic Party, Muslim Congress Party och United Party, samtliga huvudsakligen stödda av djoloffer-befolkningen i Bathurst. 1960 skapades People's Progressive Party (PPP) under ledning av Dawda Jawara. Det var det första partiet som i synnerhet grundade sig på befolkningen i de bakre trakterna, de så kallade mandingos, som är den största folkgruppen.

Det progressiva inrättandet av ett autonomt styre och därefter uppnåendet av självständighet genomfördes i huvudsak fredligt och utan oordning. En deputeradekammare instiftades 1960 och år 1961 utsågs en huvudminister. Den allmänna rösträtten för myndiga personer daterar sig till 1962 och året därpå blev huvudministern premiärminister och chef för ministerkabinettet, medan guvernörens befogenheter begränsades till inre säkerhetsfrågor och utrikesärenden. Gambia blev självständigt den 18 februari 1965 under en koalitionsregering, ledd av Jawara och United Partys grundare, Pierre N'Jie.

Efter självständigheten

Gambia åtnjuter, sedan landet blev självständigt, en ansenlig stabilitet; det är den enda av de gamla brittiska kolonierna, som inte haft någon militär kupp och ett av de få afrikanska länder som inte har några politiska fångar. PPP-partiet sitter vid makten sedan 1966. 1965 röstades ett referendum beträffande en författningsplan ner. Emellertid godkändes planen vid ett nytt referendum och 1970 blev Gambia en republik under Sir Dawda Jawaras presidentskap. Denne återvaldes vid de allmänna valen i mars 1972 och 1977.

Verkställande makt

Den verkställande makten utövas av ministerkabinettet under ledning av vicepresidenten och omfattar nio ministrar samt den allmänne åklagaren (attorney general). Vicepresidenten är chef för de statliga ärendena i Riksdagen.

Lagstiftande makt

Riksdagen utgörs av deputeradekammaren, vilken har en president och en vicepresident (valda av kammaren). Riksdagen består av 32 medlemmar, valda genom allmän rösträtt, fyra, av samtliga hövdingar utsedda hövdingar, tre nominerade ledamöter samt den allmänne åklagaren. Riksdagens mandatperiod är 5 år.

Rättsväsen

Gambias rättsväsen baserar sig på det hävdvunna brittiska rättssystemet, kompletterat och ändrat av landets egen lagstiftning. Högsta domstolen, vars befogenhet är obegränsad, utgörs av presidenten samt ett råd. Överklaganden görs i hovrätten, vilken består av en ordförande-appellationsdomare och andra domare tillhörande högsta domstolen. I Banjul och Kanifing finns domstolar samt underdomstolar. De leds alltid av en domare eller av två eller flera icke rättslärda fredsdomare. Vidare finns ett år 1974 skapat ambulerande domstolssystem. Överklaganden i dessa domstolar, vars befogenhet i civil- och brottsmål är begränsad, görs inför högsta domstolen. "Gruppdomstolar" kan likaså taga upp mindre brottsmål till prövning och tillämpa lagbestämmelserna och den traditionella sedvanerätten, däri inberäknat grundlagsbestämmelserna. De muselmanska domstolarna tillämpar Sharinlagen vad gäller bestämda ärenden som civilregler, äktenskap, arvsärenden, donationer, testamenten och förmyndarskap.

Förbindelser med utlandet

I samband med att landet - år 1965 - blev självständigt, vann Gambia medlemskap i Commonwealth. Det är medlem i Förenta Nationerna och i ett stort antal, till FN knutna organ. Landet är vidare medlem av Organization of African Unity (OAU), den afrikanska utvecklings-banken, de västafrikanska staternas ekonomiska gemenskap, den permanenta mellanstatliga kommittén för bekämpning av torkan i Sahel (CILSS) och, i kraft av Lomékonventionen, ansluten till den europeiska ekonomiska gemenskapen (EEG).

Sju länder upprätthåller ambassad eller överkommissariat i Banjul. Gambia har permanenta diplomatiska legationer i London, Dakar, Freetown, Jedda, Tripolis, Lagos och Bryssel och diplomatiska förbindelser med över 35 andra länder.

Gambia har alltid fruktat att det skulle absorberas av det stora grannlandet Senegal. En union mellan de två länderna är visserligen oundviklig, men regeringen anser dock att denna union bör vara smidig och förverkligas mycket progressivt förmedelst ekonomisk integration och ekonomiskt samarbete.

År 1967 träffades ett avtal med Senegal, som dock endast givit upphov till ett mycket begränsat samarbete, vilket enbart berör undervisning, kultur, kommunikationsmedel och gränsutstakning. Ännu idag inträffar då och då gränsintermezzon. 1973 besökte president Jawara Senegal i förhandlingssyfte och 1976 kom den senegalesiske presidenten Senghor till Gambia. I Banjul är ett permanent senegalesiskt-gambiskt sekreteriat inrättat och olika, för departementen gemensamma kommittéer samlas då och då i avsikt att studera samarbets-frågorna.

Sedan 1973 förekommer mer intima kontakter med arabländerna, Sovjetunionen och Kina. Upprättandet år 1974 av diplomatiska förbindelser med detta senare land innebar slutet på Gambias förbindelser med Taiwan, som sedan undertecknandet av ett samarbetsavtal år 1968 hade varit Gambia behjälpligt i ett risodlingsprogram.

The life of the country on public holidays and working days.

La vie du pays les jours de fête et les autres

Das Leben des Landes, an   Fest- und Wochentagen

Livet i landet under högtids- och vardagar

These magnificent young people, the future of our Continent, are a subject of satisfaction for the personalities attending the festivities marking the Anniversary of Independence. With typical African fraternal feeling, Olusigun Obasanjo, the President of Nigeria - the African state with the largest population - is present with Dawda Jawara, the President of the Gambia, which has one of the smallest.

Avenir de notre continent, magnifique jeunesse, n'est-ce pas là un sujet de satisfaction pour les personnalités assistant aux fêtes d'anniversaire de l'Indépendance; symbole de la fraternité africaine, le Président Olusigun Obasanjo du Nigéria, le plus peuplé des états africains assiste en compagnie du Président Dawda Jawara de la Gambie, qui lui est un des états les plus petits d'Afrique.

Mit Freude und Genugtuung blicken die dem Feste zum Jahrestag der Unabhängigkeit beiwohnenden Persönlichkeiten auf die Jugend. Olusigun Obasanjo, der Präsident von Nigeria, des bevölkertsten der afrikanischen Staaten, wohnt den Festlichkeiten in Begleitung von Dawda Jawara, dem Präsidenten von Gambia, einem der kleinsten afrikanischen Staaten, bei.

Utgör inte vår praktfulla ungdom - vår kontinents framtid - en källa till glädje för de personligheter som övervarar firandet av självständighetsdagen ? Som ett tecken på det afrikanska broderskapet närvarar Olusigun Obasanjo, president i Afrikas mest tätbefolkade land - Nigeria - vid sidan av Dawda Jawara, president i ett av Afrikas minsta land - Gambia.

65

The drum-major of the Gambia Police Field Force in Ceremonial uniform.

Le Tambour-Major du Corps de Police Gambienne en uniforme de cérémonie.

Der Tambourmajor des gambischen Polizeikorps in Festuniform.

Den gambiska poliskårens musikanförare i högtids-dräkt.

A march-past by a detachment of The Gambia Police Field Force on The Gambia's Independence Anniversary Celebrations.

Défilé de la Force de Police Gambienne au cours de la célébration de l'anniversaire de l'Indépendance.

Aufmarsch der gambischen Polizeikräfte während der Festlichkeiten zum Jahrestag der Unabhängigkeit.

Den gambiska polisen defilerar i samband med firandet av självständighetsdagen.

President Jawara inspects the new Central Bank Building. Cutting the tape at the opening of the new Banjul-Barra Ferry Terminal, on The Gambia's 13th Independence Anniversary Celebrations.

Le Président Jawara coupe le ruban symbolique marquant l'inauguration du nouveau ferry reliant Banjul à Barra. Pendant ces cérémonies du 13ème anniversaire de l'Indépendance, il inaugurera également les locaux de la "Central Bank".

Der Präsident Jawara durchschneidet das symbolische Band der neuen Fähre, die Banjul mit Barra verbindet. Während der Festlichkeiten zum 13. Jahrestag der Unabhängigkeit weiht er ebenfalls die Lokale der "Zentralbank" ein.

President Jawara klipper av det symboliska bandet som ett tecken på att den nya bilfärjan mellan Banjul och Barra nu är invigd. Under festligheterna till minne av självständighetens trettonårsdag, inviger han också "Central Banks" lokaler.

THE PEOPLE

The total population at the 1973 census was 494,279; the mid-1974 estimate was 517,000. With a density of nearly 50 people per sq. km, the Gambia is one of the more densely populated countries in Africa. The population growth rate is about 2.8%, and 42% of the population is under 15. Life expectancy for males is 32 years and for females, 34 years. Infant mortality is 217 per thousand live births.

The main ethnic group is the Mandingo, accounting for nearly half the total population. Others are Fulas, Wolofs, Jolas, Serahulis and Akus. There are also a few Europeans, Syrians and Lebanese living in and around Banjul. The main ethnic groups straddle the border with Senegal and there is a considerable movement of people across the frontier.

LA POPULATION

D'après le recensement de 1973, le nombre des habitants était de 494.279; une évaluation du milieu de 1974 donnait le chiffre de 517.000. La Gambie ayant une densité de près de 50 habitants au kilomètre carré est l'un des pays d'Afrique où la population est la plus dense. Le taux d'accroissement de la population est d'à peu près 2,8%; 42% de la population est âgée de moins de 15 ans. La longévité est de 32 ans pour les hommes et de 34 ans pour les femmes. La mortalité infantile est de 217‰ des naissances vivantes.

Près de la moitié de la population est constituée par le groupe ethnique des Mandingues. Il y a également des Fulas, des Wolofs, des Jolas, des Serahulis et des Akus. Quelques Européens, des Syriens et des Libanais vivent à Banjul et dans les environs. Les principaux groupes ethniques vivent à cheval sur la frontière du Sénégal et il y a un échange frontalier important.

DIE BEVÖLKERUNG

Bei der Zählung von 1973 betrug die Einwohnerzahl 494.279; eine Schätzung von Mitte 1974 ergab die Zahl von 517.000. Die Bevölkerungsdichte beträgt in Gambia ungefähr 50 Einwohner pro qkm; es ist somit das dichtbesiedelste afrikanische Land. Die Bevölkerungszuwachsrate beträgt ungefähr 2,8%; 42% der Bevölkerung sind noch nicht 15 Jahre alt. Die Lebensdauer beträgt 32 Jahre für die Männer und 34 Jahre für die Frauen. Die Kindersterblichkeit beträgt 217‰ der Lebendgeburten.

Fast die Hälfte der Bevölkerung besteht aus der ethnischen Gruppe der Mandingo. Es gibt ebenfalls noch Fula, Wolof, Jola, Serahuli und Aku. Einige Europäer, Syrier und Libanesen leben in Banjul und Umgebung. Die wesentlichen ethnischen Gruppen leben beiderseits der Grenze mit Senegal und es besteht eine bedeutende Völkerverschiebung diesseits und jenseits der Grenzen.

BEFOLKNING

1973 års folkräkning angav invånarantalet till 494 279 och i mitten av år 1974 uppskattades det till 517 000. Med sina 50 invånare per km² är Gambia ett av Afrikas mest tättbefolkade länder. Tillväxttakten är cirka 2,8% och hela 42% av befolkningen är under 15 år. Den manliga medellivslängden är 32 år, den kvinnliga 34. Barnadödligheten uppgår till 217‰ av alla vid födseln levande barn.

Nära hälften av befolkningen utgörs av folkslaget Mandingo. Man finner också fulber, djoloffer, jolas, serahulis och akus. Ett antal européer, syrier och libaneser lever i Banjul och i stadens omgivning. De största folkgrupperna lever längs den senegalesiska gränsen, som ofta passeras.

Male or female, the umbrella protects both from The Gambia's guaranteed sunshine.

Homme ou femme, il est prudent de ne pas subir les morsures du soleil qui est présent toute la journée dans le ciel gambien.

Männer und Frauen tuen gut daran, sich vor den Strahlen der Sonne Gambias zu schützen, die den ganzen Tag auf die Menschen herunterbrennt.

Såväl kvinnor som män gör klokt i att vara försiktiga med den brännande solen, som ständigt strålar på den gambiska himlen.

A colourful blend of African and Western costumes.
Symphonie de couleurs...
Farbensymphonie...
En färgsymfoni.

An agricultural country, but also a people of the sea

Nation agricole, mais aussi peuple de la mer

Eine Nation von Bauern, aber auch\ein Volk von Seeleuten

Ett jordbruksland, men också ett havets folk

The State assumes responsibility for fisheries by the creation of a new company, the Gambia Fish Marketing Corporation. There is an abundance of fish off the Gambia coast, and this venture should have a considerable success, particularly as territorial waters are closely watched.

L'Etat prend en charge les pêcheries par la création d'une nouvelle société, la Gambia Fish Marketing Corporation. La côte gambienne est très poissonneuse et cette activité devrait connaître un grand essor, d'autant plus que les eaux territoriales sont bien surveillées.

Vermittels der Gründung einer neuen Gesellschaft, der Gambia Fish Marketing Corporation, übernimmt der Staat die Fischereien. Da die gambischen Küstengewässer sehr fischreich sind, dürfte diese Aktivität sich weiter schnell ausdehnen, besonders, da die Wasser gut überwacht sind.

Staten har genom skapandet av en ny firma, Gambia Fish Marketing Corporation, tagit över ansvaret för fiskerit. Den gambiska kusten är mycket rik på fisk. Denna verksamhet torde komma att få ett betydande uppsving, så mycket mer som territorialvattnet är väl övervakat.

THE ECONOMY

The economy of the Gambia is almost entirely agricultural, with groundnuts (in the form of nuts, oil and cattle cake) accounting for well over 90% of total exports. Agriculture, forestry and fishing provide a living for 85% of the people and contribute about 59% of the Gross Domestic Product (GDP), whereas the industrial sector contributes less than 3%. In the past few years the tourist industry has grown rapidly.

The Gambia's economy is inevitably on a very small scale and development has to be financed from external sources. Nevertheless, the country's economic record since independence has been good, due partly to the fact that the Government has not been tempted to launch any large-scale prestige projects. Dependent as it is on the one main crop, the state of the economy is greatly influenced by fluctuations in groundnut production or world prices, and the Government is trying to diversify agricultural production. The small-scale nature of the activities in terms of resources, manpower and domestic market will continue to be a limiting factor.

Gross National Product (GNP) in 1973 totalled about US $ 60 million. Per capita GNP was US $ 130 in 1973 and has been growing at 2.2% a year in real terms. Inflation is a continuing problem and in August 1976 stood at about 19%. It came down to 12% in 1977.

The current development plan envisages government investment of nearly D 145 million: 21% for transport, 17% for public utilities, 15% for agriculture, 9% for health and 7% for the forestry, fisheries and mineral sector. The plan aims at diversifying the economy, reducing the disparity between urban and rural per capita incomes which are estimated at D 730 and D 190 respectively, and alleviating the high level of unemployment. It envisages that the economy will grow at an annual rate of 4.5% and that during the five years there will be an overall growth of 35.8% in private consumption, 35% in production of domestic foodstuffs and 45% in export crop output. A proposal is also put forward under the plan for a small oil refinery.

"Gambianisation" has gradually been introduced into all sectors of the economy except tourism which remains almost exclusively under foreign control. However, the Government wants to attract foreign investment in other sectors as well, including light industry, horticulture and mechanical assembly.

There is great potential in the fisheries sector, and the Government, with United Nations Development Programme (UNDP) assistance, is encouraging improved methods and the modernisation of boats. Two fishing docks and two cold stores have been built at Banjul. Marine fish include bonga, grey mullet, grouper, ladyfish, barracuda, seabream, Spanish fish, flatfish and crawfish, some of which are found up to 160 km upriver. The most popular freshwater fish, found further upstream, is the tiger fish. Fish and fish products, especially smoked fish, are exported to other African countries, Europe and Japan. In addition, considerable quantities of dried and smoked fish are exported "informally" by small craft plying the West African coast.

Minerals

Deposits of ilmenite ore were mined for a few years during the 1950s near Brufut on the Atlantic coast, but the mining and processing activities were closed down when world prices fell sharply. Moreover the deposits were believed to be smaller than at first estimated. However, world demand has since risen sharply and new studies carried out by the United Nations Industrial Development Organisation (UNIDO) indicate that the reserves are in fact of a grade and quantity sufficient to justify commercial production. If the mining project goes ahead, it is expected to be run by a joint Gambian-Icelandic venture.

Apart from small quantities of kaolin, no other minerals in commercial quantities have been found in the Gambia.

L'ECONOMIE

L'économie de la Gambie est presqu'exclusivement agricole, les arachides (noix, huile et tourteaux pour l'alimentation animale) représentent bien plus de 90% du total des exportations. L'agriculture, les forêts, et la pêche fournissent les moyens d'existence à 85% de la population et représentent environ 59% du produit national brut (PNB) alors que le secteur industriel atteint à peine 3%. Depuis quelques années on observe une expansion rapide de l'industrie touristique.

Inévitablement l'économie de la Gambie est d'importance modeste et la mise en valeur du pays doit être financée en faisant appel à l'extérieur. Cependant l'activité économique depuis l'accession à l'indépendance est satisfaisante, partiellement en raison de ce que le Gouvernement n'a pas tenté de mettre en chantier de vastes projets de prestige. Comme elle dépend d'une culture principale, l'économie est largement influencée par les fluctuations de la récolte des arachides ou des prix mondiaux et le gouvernement s'efforce de parvenir à une diversification de la production. Le caractère limité des activités du point de vue des ressources, de la main d'oeuvre et du marché national continuera à constituer un facteur restrictif.

Le produit national brut (PNB) s'est élevé au total en 1973 à 60 millions de $ des Etats Unis. Le PNB par habitant était en 1973 de $ 130 et augmente, en chiffres réels, de 2,2% par an. L'inflation pose un problème permanent; elle était d'environ 19% en août 1976, et 12% en 1977.

Le plan de développement actuel envisage des investissements d'Etat de près de 145 millions de dalasi; 21% pour les transports, 17% pour les services publics, 15% pour l'agriculture, 9% pour la santé publique et 7% pour les forêts, les pêches et le secteur des ressources minérales. Le plan vise à une diversification de l'économie réduisant les différences entre les revenus par habitant dans les zones urbaine et rurale, qui sont évalués à D 730 et à D 190 respectivement et à une diminution du chômage. Il y est prévu un accroissement de l'économie au taux annuel de 4,5% et que pendant les cinq années du plan il y aura une augmentation de 35,8% de la consommation individuelle, de 35% de la production des aliments nationaux et de 45% des récoltes exportables. On propose également aux termes du plan d'installer une petite raffinerie d'huile.

Tous les secteurs économiques, sauf le tourisme qui est presqu'entièrement sous contrôle étranger, ont peu à peu été repris par l'Etat ("la gambiénisation"). Mais le Gouvernement est désireux d'attirer également les capitaux étrangers dans d'autres secteurs, ainsi dans l'industrie légère, l'horticulture et le montage mécanique.

Le secteur des pêches présente de grandes possibilités et avec l'assistance du programme des Nations Unies pour le Développement (PNUD), le Gouvernement favorise l'emploi de méthodes améliorées et la modernisation des navires. On a construit à Banjul deux bassins de pêche et deux entrepôts frigorifiques. Les poissons de mer comprennent le bonga, le mulet, l'épinéphèle, le "lady fish", le brochet de mer, la dorade, le "Spanish fish", les poissons plats et les crustacés, certains d'entre eux remontent le fleuve jusqu'à 160 km en amont. Le poisson d'eau douce le plus apprécié est le poisson-tigre, que l'on trouve plus en amont. Le poisson et les produits du poisson, notamment le poisson fumé, sont exportés à destination d'autres pays d'Afrique, de l'Europe et du Japon.

En outre, des quantités assez importantes de poisson séché et fumé sont "officieusement" exportées par petits navires desservant la côte occidentale de l'Afrique.

Minerais

Pendant quelques années après 1950 on avait exploité les dépôts de minerai d'ilménite près de Brufut, sur la côte atlantique, mais l'extraction et le traitement ont été arrêtés lorsque les prix mondiaux sont tombés de façon marquée. De plus, il semble que les dépôts aient été moins importants qu'on ne l'avait pensé à l'origine. Cependant la demande mondiale s'est beaucoup accentuée depuis lors et les études effectuées par l'Organisation des Nations Unies pour le Développement industriel (ONUDI), indiquent que les réserves sont en fait d'une qualité et d'une abondance suffisantes pour justifier une production commerciale. Si le projet d'exploitation est réalisé, on compte qu'il sera entrepris comme opération conjointe gambienne-islandaise.

Sauf pour de faibles quantités de kaolin, il n'y a pas en Gambie d'autres minerais en quantités commerciales.

DIE WIRTSCHAFT

Die Wirtschaft Gambias ist fast ausschliesslich eine landwirtschaftliche. Die Erdnüsse (sowie Erdnussöl und Ölkuchen für die Tiernahrung) machen über 90% der Gesamtausfuhr aus. Land-, Forstwirtschaft und Fischfang verschaffen 85% der Bevölkerung Lebensmöglichkeiten und stellen ungefähr 59% des nationalen Bruttoeinkommens dar. Dagegen erreicht der industrielle Sektor kaum 3%. Seit einigen Jahren beobachtet man eine rasche Ausdehnung der Touristik.

Natürlich trägt die Wirtschaft Gambias nur in bescheidenem Mass zur Auswertung des Landes bei. Man hat das Ausland nötig, um diese zu finanzieren. Trotzdem ist die wirtschaftliche Betätigung seit Erlangung der Unabhängigkeit zufriedenstellend, besonders dadurch, dass die Regierung davon Abstand genommen hat, zu ehrgeizige Prestigepläne in Angriff zu nehmen. Da sie von einer Hauptkultur abhängig ist, wird die Wirtschaft stark von den Fluktuationen der Erdnussernten und deren Weltpreis beeinflusst. Die Regierung bemüht sich jetzt, die Produktion abwechslungsreicher zu gestalten. Die Unbeträchtlichkeit der Einnahmequellen, der Arbeitskräfte und des nationalen Marktes stellen dabei aber immer noch einen hindernden Faktor dar.

Das nationale Bruttoprodukt belief sich 1973 im ganzen auf 60 Millionen amerikanischer Dollar. Das nationale Bruttoprodukt belief sich 1973 pro Einwohner auf 130$ und steigt jährlich um 2.2% an. Die Inflation ist ein ständiges Problem. Im August 1976 betrug sie ungefähr 19% und 12% im Jahre 1977.

Das augenblickliche Entwicklungsprogramm sieht Staatsinvestitionen von ungefähr 145 Millionen Dalasi vor. 21% für die Transporte; 17% für die öffentlichen Dienststellen; 15% für die Landwirtschaft; 9% für das Gesundheitswesen und 7% für die Forstwirtschaft, den Fischfang und den Sektor für Bodenschätze. Der Plan sieht eine abwechslungsreichere Gestaltung der Wirtschaft vor und eine Verringerung der Einkommensunterschiede pro Einwohner in den städtischen und ländlichen Bezirken. Die Einkommensskala bewegt sich zwischen 730 und 190 Dalasi. Der Plan strebt ebenfalls eine Verminderung der Arbeitslosenzahl an. Für die Dauer des Fünfjahresplans ist eine Wachstumsrate von jährlich 4,5% vorgesehen: individueller Konsum, 35,8%; nationale Nahrungsmittelindustrie, 35%; für die Ausfuhr bestimmte Waren 45%. Der Plan sieht ebenfalls die Errichtung einer kleinen Ölraffinerie vor.

Alle wirtschaftlichen Sektoren - ausser dem Tourismus - der fast ganz in fremden Händen liegt - sind allmählich vom Staat übernommen worden (Gambianisierung). Aber die Regierung möchte gern ausländisches Kapital in andere Sektoren einschleusen, wie z.B. die Leichtindustrie, den Gartenbau, die mechanische Montage.

Der Fischfang eröffnet grosse Möglichkeiten, und mit Hilfe des Entwicklungsprogramms der Vereinten Nationen fördert die Regierung die Anwendung von verbesserten Methoden und die Modernisierung der Schiffe. So wurden in Banjul zwei Fischbecken und zwei Kühlraumanlagen erbaut. Unter den Seefischen seien erwähnt: der "bonga", die Meeräsche, der "epinepheles", der "lady fish", der Meerbarsch, die Goldbrasse, der "spanish fish", die schollenartigen Fische und die Krustentiere. Manche von ihnen schwimmen bis 160 km stromaufwärts. Der am meisten geschätzte Süsswasserfisch ist der "Tigerfisch", den man meistens am Oberlauf findet. Fische und Fischprodukte - besonders Räucherfische - werden nach anderen Ländern Afrikas sowie nach Europa und Japan ausgeführt. Ausserdem werden noch ziemlich bedeutende Mengen von Trocken- und Räucherfischen offiziös von kleinen, die Westküste Afrikas anlaufenden Schiffen ausgeführt.

Eisenerze

In den fünfziger Jahren hatte man Ilmenit-Eisenerze in der Nähe von Brufut, an der Atlantischen Küste, ausgebeutet. Aber das Schürfen und die Verarbeitung wurden eingestellt, als die Weltpreise erheblich sanken. Übrigens stellte es sich heraus, dass die Ablagerungen viel weniger bedeutend waren, als man zuerst angenommen hatte. Doch ist inzwischen die Weltnachfrage stark gestiegen und die von der Organisation für industrielle Entwicklung der UNO unternommenen Studien haben festgestellt, dass die Reserven qualitätsmässig und vorkommensmässig eine Kommerzialisierung der Produktion rechtfertigen könnten. Wenn also ein Ausbeutungsprojekt zustandekommen sollte, dann würde es wohl durch eine gambisch-isländische Zusammenarbeit verwirklicht werden.

Ausser schwachen Kaolinablagerungen gibt es in Gambia keine nennenswerten Eisenerzvorkommen.

NATIONALEKONOMI

Gambias nationalekonomi är praktiskt taget uteslutande baserad på jordbruk. Jordnötterna (nötter, olja och oljekakor för djuruppfödning) utgör mer än 90% av den totala exporten. Jordbruket, skogarna och fisket livnär 85% av befolkningen och representerar cirka 59% av bruttonationalprodukten, medan den industriella sektorn uppgår till knappt 3%. Sedan några år tillbaka kan man lägga märke till en snabbt framåtskridande utvidgning av turistindustrin.

Gambias nationalekonomi är oundvikligen av ringa omfattning och en förbättring måste finansieras genom utländskt bistånd. Emellertid är de ekonomiska aktiviteterna, sedan självständigheten, tillfredsställande, delvis tack vare att regeringen inte gett sig in på några omfattande prestigebetonade projekt. Eftersom ekonomin är avhängig en huvudsaklig odling, påverkas den i stor utsträckning av jordnötsskördarnas fluktuationer eller världsprisets växlingar. Regeringen strävar således efter att variera produktionen. Aktiviteternas begränsade karaktär vad gäller resurser, arbetskraft och inhemskt marknad kommer även fortsättningsvis att utgöra en begränsande faktor.

Bruttonationalprodukten (BNP) uppgick år 1973 till totalt 60 miljoner amerikanska dollar. BNP per invånare var 1973 130 dollar och ökar i faktiska siffror med 2,2% per år. Inflationen, som var cirka 19% i augusti 1976 och 12% år 1977, utgör ett permanent problem.

Den nu gällande utvecklingsplanen planerar statliga investeringar uppgående till nära 145 miljoner dalasi; 21% för kommunikationsmedel, 17% för allmänna inrättningar, 15% för jordbruk, 9% för hälsovård och 7% för skog, fiske och malmtillgångar. Planen syftar på att variera nationalekonomin i avsikt att minska skillnaden mellan stats- respektive landsortsbefolkningens inkomster, vilka uppskattas till 730 respektive 190 dalasi, samt på att sänka arbetslösheten. Man förutser en årlig ekonomisk tillväxt på 4,5% och att den individuella konsumtionen, under planens fem år, skall öka med 35,8%, produktionen av inhemska födoämnen med 35% och de för export tänkbara skördeprodukterna med 45%. Planen föreslår likaså skapandet av ett smärre oljeraffinaderi.

Samtliga ekonomiska sektorer, förutom turismen, som praktiskt taget helt och hållet står under utländsk kontroll, har undan för undan förstatligats ("gambianiseringen"). Men regeringen vill också få in utländskt kapital inom andra sektorer, t ex den lätta industrin, trädgårdsodlingen och den mekaniska verkstadsindustrin.

Fiskenäringen ter sig mycket lovande. Regeringen gynnar, med bistånd från Förenta Nationernas utvecklingsprogram (UNDP), tillämpningen av förbättrade metoder och moderniseringen av fiskeflottan. I Banjul har man byggt två fiskdammar och två kyldepåer. Havsfiskarna omfattar bonga, rödbarb, "épinephèle", "lady fish", havsgädda, guldbraxen, "spanish fish", plattfisk och skaldjur. Vissa tar sig hela 160 km uppför floden. Den mest uppskattade sötvattensfisken är tigerfisken, som man finner ännu högre upp i floden. Fisk och fiskeprodukter, i synnerhet rökt fisk, exporteras till andra afrikanska länder, Europa och Japan.

Vidare exporterar små fartyg, som verkar på Afrikas västkust, "inofficiellt" relativt omfattande kvantiteter torkad och rökt fisk.

Malm

Under 1950-talet exploaterades ilmenitfyndigheter i närheten av Brufut på Atlantkusten. Emellertid avbröts såväl brytning som bearbetning i och med att världspriset föll kraftigt. Dessutom syns fyndigheterna vara mindre omfattande än vad man från början trodde. Men sedan dess har efterfrågan ute i världen kraftigt ökat och de studier, som Förenta Nationernas organisation för industriell utveckling (UNIDO) genomfört tyder på att lagren i själva verket är av tillräckligt god kvalitet och förekommer i tillräcklig mängd för att motivera en kommersiell produktion. Om exploateringsplanerna förverkligas torde det ske i ett samarbete mellan Gambia och Island.

Bortsett från mindre kvantiteter kaolin har Gambia inga malmfyndigheter av kommersiellt intresse.

Not far from the town of Banjul, stands the stack of a peanut-processing factory.

Pas très loin de la ville de Banjul, une usine de traitement d'arachide dresse sa cheminée.

Nicht weit von der Stadt Banjul, der Schornstein einer Erdnüsse verarbeitenden Fabrik.

Inte långt från staden Banjul reser sig skorstenen på en fabrik för bearbetning av jordnötsolja.

Groundnut heaps such as this, are a common sight in the Gambia during the period December-March.

Des montagnes d'arachides comme celles-ci, spectacle habituel en Gambie pendant la période qui va de décembre à mars.

Erdnusshaufen wie diese hier sind ein in Gambia während der Erdnussernte (Dezember bis März) häufiges Schauspiel.

Jordnötsberg liknande dessa är en vanlig syn i Gambia under perioden december - mars.

Cham and Secka, a Gambian Company producing metal house fittings and furniture, at Kanifing.

Cham and Secka, Société Gambienne, menuiserie métallique et meubles, installée à Kanifing.

Cham and Secka, gambische Gesellschaft für die Herstellung von Metallmöbeln. Diese Gesellschaft befindet sich in Kanifing.

Cham and Secka, ett till Kanifing förlagt gambiskt bolag som tillverkar metalltillbehör och möbler.

Industry

There is little industry apart from groundnut processing, but the current five-year plan envisages some expansion, particularly in agricultural industries. There are small factories making candles, shoes, cosmetics, beer, soft drinks, lime juice and a seafood freezing plant. There are also several small traditional boatyards.

Industrie

A part le traitement des arachides, l'industrie est peu développée mais un plan quinquennal en cours envisage une certaine expansion notamment des industries agricoles. Il existe de petites usines de fabrication de bougies, de chaussures, de produits de parfumerie, de bière, de limonades, de jus de citron et une installation frigorifique pour le poisson. Il y a aussi plusieurs chantiers de construction de bateaux traditionnels.

Jul Brew Brewery inaugurated on 18th February 1978, Kanifing Industrial Zone.

Brasserie Jul Brew, inaugurée le 18 février 1978, Zone Industrielle de Kanifing.

Die Brauerei Jul Brew. Sie wurde am 18. Februar 1978 in der industriellen Zone von Kanifing eröffnet.

Bryggeriet Jul Brew, invigt den 18 februari 1978, och beläget i Kanifings industriområde.

Industrie

Ausser der Erdnussverarbeitung ist die Industrie nur schwach entwickelt. Aber ein schon in Ausführung begriffener Fünfjahresplan sieht eine gewisse Ausweitung - besonders der landwirtschaftlichen Industrien - vor. Es gibt auch kleine Fabriken für die Fabrikation von Kerzen, Schuhen, Parfümerieprodukten, Bier, Limonade, Zitronensaft und eine Kühlraumeinrichtung für Fische. Es bestehen ebenfalls mehrere Werften für den Bau von traditionellen Schiffen.

Industri

Industrin är, förutom vad gäller jordnötshanteringen, föga utvecklad. En nu löpande femårsplan planerar dock en viss expansion, i synnerhet vad gäller lantbruksindustrin. Landet har ett antal mindre fabriker för ljus-, sko-, skönhetsprodukts-, öl-, limonad- och citronjuice-tillverkning samt en frysanläggning för fiskeprodukter. Dessutom finns ett flertal varv för traditionell fartygskonstruktion.

The staple food in the Gambia is rice. At present large amounts of rice have to be imported but under the current development plan output is expected to double to 64,000 tonnes a year by 1980 and it is hoped that the country may eventually become self-sufficient in rice. Until recently, experts from Taiwan were assisting with an irrigated rice-growing project in the MacCarthy Island area but this help has now been replaced by that of the Chinese.

Other food crops are sorghum, millet, cassava, maize, beans, onions, peppers and other vegetables, all grown on small plots. The Government is promoting small horticultural and citrus projects in the western region, both to provide employment and to serve the demands of the tourist industry which are met at present by large imports of food products.

In 1974 it was estimated there were 292,000 head of cattle; a very large number for the amount of grazing available. This is due largely to the fact that large numbers of cattle are traditionally regarded as a sign of wealth, but as meat prices have risen, owners have been more willing to sell their animals. The Gambia *ndama* cattle are ideal for beef and draught purposes and are also resistant to trypanosomiasis caused by the tsetse fly. Also in 1974, there were an estimated 92,000 goats, 90,000 sheep, 8,000 pigs and 260,000 poultry. The Gambia suffered losses of both livestock and crops during the Sahelian drought of the early 1970s but these losses were not so drastic as in other countries of the region.

About 4,000 ha are designated as forest parks, of which two-thirds are for timber production. Rhun palm, mangrove and bamboo are all used in construction, but the forestry industry is quite small. Although considerable quantities of rubber were exported from the Gambia in the latter part of the last century, these exports steadily dwindled to nothing as the wild trees were destroyed by inexpert harvesting.

Agriculture, Forestry and Fisheries

Groundnuts have been the Gambia's main crop since the early part of the last century. They are mostly grown away from the river in the upper Gambia areas. The harvest is in November and December. Seasonal immigrants from Senegal, known as "strange farmers", come every year to grow groundnuts on a share-cropping basis and return home after the harvest. Although at one time about 20,000 a year used to come, there are now only about 5,000. The Gambia Produce Marketing Board (which covers groundnuts, palm kernels, rice and cotton) purchases the groundnuts from the farmers between mid-December and April. The Government now controls the whole of groundnut marketing and milling in the Gambia having purchased in 1974 the two crushing mills at Banjul from an Anglo-Lebanese company. There is a price stabilisation fund and producer prices have been steadily increased in recent years, during which world prices for groundnuts have remained high. Production accordingly increased rapidly from 71,000 tonnes a year in the early 1960's to over 122,000 tonnes a year in the early 1970's. Part of this increase may have been due to the illicit exports of Senegalese nuts to the Gambia where producer prices are higher, but it is also due to the incentive provided by higher producer prices and to the increased use of fertilisers and improved cultivation methods which are encouraged by the Ministry of Agriculture. "Oxenisation" - the use of oxen for ploughing - is being promoted and there are 25 centres around the country which provide training in the use of oxen. The Government believes that intermediate technology is more suitable for the Gambia than an over-hasty adoption of mechanisation. There was a record groundnut crop of about 142,000 tonnes in 1974/75 and it is hoped to increase this to 203,000 tonnes by 1980. There are two decorticating plants at Kaur and Banjul. About a third of the crop is loaded onto ocean-going vessels at Kaur and shipped directly to Europe.

L'aliment de base en Gambie est le riz. A l'heure actuelle il est nécessaire d'en importer de grosses quantités mais le plan de développement actuel prévoit un doublement de la production de riz qui atteindrait 64.000 tonnes par an en 1980 et on espère que dans l'avenir le pays pourra faire face à ses besoins. Récemment encore des experts venus de Taiwan aidaient à la réalisation d'un projet de culture du riz par irrigation dans la région de l'île MacCarthy, mais cette assistance a aujourd'hui été remplacée par l'assistance de la Chine.

Les autres cultures alimentaires comprennent le sorgho, le millet, le manioc, le maïs, les haricots, les oignons, les poivrons et d'autres légumes cultivés en parcelles de faible dimension. Le Gouvernement a pris l'initiative de projets restreints horticoles et de production d'agrumes dans la région ouest, à la fois pour créer des emplois et répondre aux besoins de l'industrie touristique qui dépendent à l'heure actuelle de fortes importations de produits alimentaires.

En 1974 on a évalué le nombre de têtes de bétail à 292.000, nombre élevé compte tenu de la superficie des pâturages existants. Cela s'explique par le fait que l'on considère par tradition qu'un grand nombre de bêtes est un signe de richesse; mais avec l'augmentation du prix de la viande, les propriétaires se sont montrés plus disposés à vendre leurs animaux. Le bétail "ndama" de Gambie se prête bien à la production de viande et aux utilisations comme bêtes de trait, de plus il résiste à la trypanosomiase causée par la mouche tsé-tsé. En 1974 on évaluait également les caprins, ovins, porcins et la volaille respectivement, à 92.000, 90.000, 8.000, et 260.000 têtes. La Gambie a subi des pertes en bétail et en récoltes pendant la sécheresse au Sahel au début des années 1970 mais elles n'ont pas été aussi considérables que dans d'autres pays de la région.

On désigne sous le nom de parcs forestiers environ 4.000 ha dont les deux tiers servent à la production de bois. Certains palmiers, les palétuviers et les bambous sont utilisés pour la construction mais l'industrie forestière est assez peu développée. Bien que dans la dernière partie du 19ème siècle, la Gambie ait exporté de grandes quantités de caoutchouc, ces exportations ont peu à peu disparu, les arbres sauvages ayant été détruits par des procédés nocifs de récolte.

Agriculture, forêts, pêches

Depuis le début du siècle dernier, l'arachide a été la plus importante culture de la Gambie. L'arachide pousse à l'écart du fleuve dans les régions de la haute Gambie. La récolte se fait en novembre et en décembre. Des immigrants saisonniers originaires du Sénégal ("les paysans étrangers") viennent tous les ans pour la culture de l'arachide. Leur rémunération se fait sur la base du métayage et ils rentrent chez eux après la cueillette. A un moment les arrivants étaient au nombre de 20.000 par an, mais ils ne sont plus aujourd'hui que 5.000 environ. Le bureau de vente des produits (Produce Marketing Board qui s'occupe des arachides, des palmistes, riz et coton) achète les arachides aux paysans entre la mi-décembre et le mois d'avril. Le Gouvernement contrôle aujourd'hui toutes les ventes d'arachides et leur mouture dans le pays, car en 1974, il a acheté à la Anglo-Lebanese Company les deux moulins existant à Banjul. Un fonds de stabilisation des prix fonctionne et les prix à la production ont constamment augmenté au cours des dernières années alors que les prix mondiaux pour l'arachide restaient élevés. En conséquence la production a progressé rapidement de 71.000 tonnes par an au début des années 1960 à plus de 122.000 tonnes par an au début de la décennie suivante. Il se peut que cet accroissement soit en partie imputable à des exportations illégales d'arachides du Sénégal en Gambie où les prix à la production sont plus hauts, mais il s'explique également par le fait que les prix plus élevés à la production et les encouragements donnés par le ministère de l'agriculture à une utilisation plus forte d'engrais et à l'amélioration des méthodes de culture sont des éléments de développement.

L'emploi de boeufs pour le labour est encouragé et 25 centres dans le pays offrent une formation en ce qui concerne l'emploi de ces animaux. Le Gouvernement estime qu'une technologie intermédiaire est plus appropriée qu'une adoption trop hâtive de la mécanisation agricole. En 1974/75 la récolte des arachides a atteint le chiffre record de 142.000 tonnes et on espère que ce chiffre sera porté à 203.000 tonnes en 1980. Il existe à Kaur et Banjul deux usines de décorticage. Un tiers environ de la production est chargé à Kaur sur des navires de haute-mer et expédié directement en Europe.

Reis ist in Gambia die Grundnahrung. Augenblicklich müssen davon noch grosse Mengen eingeführt werden, aber der Entwicklungsplan sieht die Verdoppelung der Reisproduktion vor, die im Jahre 1980 64.000 t pro Jahr erreichen soll. Man hofft, dass das Land so in Zukunft seine Bedürfnisse decken kann. Noch kürzlich halfen aus Taiwan gekommene Sachverständige bei der Realisierung dieses Reisanbauprojekts durch Bewässerung im Gebiet der Insel MacCarthy, aber jetzt sind chinesische Sachverständige an ihre Stelle getreten.

Zu den anderen angebauten Nahrungsmitteln gehören: Sorgho, Hirse, Maniok, Mais, Bohnen, Zwiebeln, Piment und sonstige in kleineren Parzellen angebaute Gemüse. Die Regierung hat die Initiative für begrenzte Gartenbauprojekte und für die Produktion von Zitrusfrüchten in den westlichen Gebieten ergriffen, sowohl zum Zwecke von Berufsschaffung, wie auch um den Bedürfnissen der Touristik nachzukommen, die augenblicklich zu starker Nahrungsmitteleinfuhr Anlass geben.

1974 schätzte man die Viehherden auf 292.000 Stück, eine sehr hohe Zahl, wenn man an die Oberfläche der verfügbaren Weiden denkt. Die Erklärung dafür ist, dass traditionsgemäss eine grosse Anzahl von Vieh als Zeichen von Reichtum gilt. Seit der Erhöhung des Fleischpreises zeigten sich jedoch die Besitzer viel geneigter, ihre Tiere zu verkaufen. Das gambische "ndama"-Vieh ist für die Fleischproduktion besonders geeignet, und auch als Zugvieh ist es sehr geschätzt. Es widersteht ebenfalls sehr gut den von der Tsetsefliege verursachten Krankheiten. 1974 schätzte man die Ziegen, Schafe, Schweine und Geflügel auf je 92.000, 90.000, 8.000 und 260.000 Stück. Im Anfang der siebziger Jahre hat Gambia während der Trockenheitsperiode im Sahel Verluste an Vieh und Ernten erlitten, doch waren diese nicht so beträchtlich wie in den anderen Ländern dieser Region.

Man bezeichnet unter dem Namen Fortsparks ungefähr 4.000 ha, von denen zwei Drittel der Holzproduktion dienen. Gewisse Palmen, Mangrovenbäume und Bambus werden für den Häuserbau benutzt, aber auch die Forstindustrie ist ziemlich stark entwickelt. Obwohl Gambia während der letzten Jahre des 19. Jahrhunderts grosse Kautschukmengen ausgeführt hat, so wurden diese Ausfuhren jedoch nach und nach eingestellt, da die nicht kultivierten Bäume durch den getriebenen Raubbau allmählich ruiniert wurden.

Land-, Forstwirtschaft, Fischfang

Seit Anfang des vorigen Jahrhunderts war die Erdnussproduktion die bedeutendste Kultur Gambias. Die Erdnüsse wachsen fern vom Fluss in den Gebieten Obergambias. Die Ernte findet im November und Dezember statt. Aus Senegal stammende Immigranten (die "ausländischen Bauern") kommen jährlich zu der Jahreszeit, wo der Anbau der Erdnüsse vonstatten geht. Sie werden nach dem System der Halbpacht entlohnt. Sie kehren nach der Ernte wieder zu sich nach Hause zurück. Zu einer gegebenen Zeit kamen jährlich 20.000 Immigranten nach Gambia, aber jetzt sind es nur noch ungefähr 5.000. Das Verkaufsbureau der Produkte (Produce Marketing Board), das Erdnüsse, Palmenfrüchte, Reis und Baumwolle auf den Markt bringt, kauft die Erdnüsse den Bauern Mitte Dezember und Mitte April ab. Die Regierung kontrolliert jetzt den ganzen Erdnussverkauf und ihr Vermahlen im Land, denn 1974 hat sie der "Anglo-Lebanese Company" die beiden in Banjul befindlichen Mühlen abgekauft. Für die Preise besteht ein Stabilisierungsfonds; die Erzeugerpreise sind in den letzten Jahren ständig gestiegen, und die Weltpreise für Erdnüsse blieben ebenfalls hoch. Demzufolge hat die Produktion rasche Fortschritte gemacht: von 71.000 t jährlich Anfang 1960 ist sie am Anfang des folgenden Dezenniums auf 122.000 t jährlich angestiegen. Es mag wohl sein, dass dieses Ansteigen grossen Teils der illegalen Ausfuhr von Erdnüssen aus dem Senegal nach Gambia zuzuschreiben ist, da hier die Erzeugerpreise höherliegen. Doch lässt sich das auch dadurch erklären, dass das Landwirtschaftministerium zu einer stärkeren Verwendung von Düngemitteln und zu einer Verbesserung der Arbeitsmethoden anspornt. Auf jeden Fall sind das auch Entwicklungsfaktoren.

Die Verwendung von Ochsen zum Pflügen wird besonders empfohlen, und im Land stehen 25 Zentren zum Anlernen der Kandidaten bereit. Die Regierung ist der Meinung, dass eine mittlere Technologie empfehlenswerter ist als eine zu hastige Anwendung landwirtschaftlicher Mechanisierung. 1974/75 erreichte die Erdnussproduktion die Rekordzahl von 142.000 t und man hofft, dass diese Zahl im Jahre 1980 auf 203.000 t ansteigen wird. In Kaur und Banjul bestehen zwei Entkernungsfabriken. Ungefähr ein Drittel der Produktion wird in Kaur auf Seeschiffe verfrachtet und direkt nach Europa ausgeführt.

Gambias basfödoämne är ris. För närvarande måste stora kvantiteter importeras. Dock förutser den nuvarande utvecklingsplanen en fördubbling av risproduktionen, som 1980 planeras uppgå till 64 000 ton per år. Man hoppas sålunda att i framtiden kunna svara upp mot sina behov. Tills nyligen bistod experter från Taiwan landet för att förverkliga ett bevattningsprojekt för risodling i området kring ön MacCarthy. Numera är det dock Kina som står för denna hjälp.

De övriga födoämnen som odlas omfattar sockerhirs, bovete, maniok, mais, olika bönor, lök, paprika med flera grönsaker och odlas på små jordplättar. Regeringen har tagit initiativet till begränsade trädgårds- och citrusfruktodlingar i den västra regionen. Detta både för att skapa sysselsättning och för att svara upp mot turistindustrins behov, vilken för närvarande är beroende av en omfattande import av födoämnen.

År 1974 beräknades boskapshjorden till 292 000 djur, en hög siffra med tanke på existerande betesmarker. Detta förklaras av det faktum att man av tradition anser att ett stort antal djur utgör ett tecken på rikedom. Eftersom priserna på kött ökat, är ägarna nu mer villiga att sälja sina djur. Gambias boskap "ndama" lämpar sig väl för köttproduktion och som dragdjur. Dessutom är den motståndskraftig mot sjukdomen trypanosoma, som sprids av tsetseflugan. Samma år - 1974 - uppskattades antalet getter, får, svin och höns till respektive 92 000, 90 000, 8 000 och 260 000. Under torkan i Sahel i början av 1970-talet förlorade Gambia såväl boskap som skördar, men inte i lika stor utsträckning som i andra länder i området.

Av cirka 4 000 ha så kallade skogsparker utnyttjas två tredjedelar för skogsproduktion. Vissa palmer, mangrove- och bambuträd utnyttjas i byggnadsindustrin, men skogsindustrin är dock relativt litet utvecklad. Under den senare delen av 1800-talet exporterade Gambia stora kvantiteter kautschukträd. Emellertid har denna export undan för undan gått förlorad på grund av att de vilt växande träden förstörts av felaktiga tillvägagångssätt vid skördningen.

Jordbruk, skogar, fiske

Sedan början av förra seklet är jordnöten Gambias viktigaste odlingsprodukt. Jordnötterna växer i Gambias högre belägna områden, fjärran från floden. Skördetiden inträffar i november-december. Säsongsarbetare från Senegal ("de utländska bönderna") kommer varje år till landet för att hjälpa till med jordnötsproduktionen. Deras ersättning baseras på hälftenbruk och efter plockningen återvänder de hem. En tid kom hela 20 000 personer per år, men idag räknar de endast omkring 5 000. Produce Marketing Board (som har hand om jordnötter, kålpalmer, ris och bomull) köper jordnötterna av bönderna mellan mitten av december och april. Regeringen kontrollerar idag all jordnötsförsäljning och -malning i landet. År 1974 köpte man nämligen, från Anglo-Lebanese Company, de två i Banjul befintliga kvarnarna. Man har inrättat en prisutjämnande fond och produktionspriset har under de senaste åren ständigt ökat, medan jordnötspriset ute i världen förblivit högt. Följaktligen skred produktionen snabbt framåt, från 71 000 ton per år i början av 1960-talet till över 122 000 ton per år i början av 1970-talet. Eventuellt kan denna ökning till viss del tillskrivas illegal jordnötsexport från Senegal till Gambia, där produktionspriset är högre. Men det högre produktionspriset och det bistånd som jordbruksministern beviljar för större användning av gödningsmedel och förbättrade odlingsmetoder torde också utgöra befrämjande faktorer.

Man uppmuntrar utnyttjandet av oxar i jordbruket och 25 centra i landet erbjuder utbildning i detta hänseende. Regeringen anser att en teknologi på mellannivå är att föredra framför ett alltför förhastat införande av mekaniserade metoder inom jordbruket. 1974/75 nådde jordnötsskörden rekordsiffran 142 000 ton och man hoppas att denna siffra skall öka till 203 000 ton år 1980. Två avskalningsfabriker är förlagda till Kaur och Banjul. Cirka en tredjedel av produktionen embarkeras på högsjöfartyg i Kaur och sänds direkt till Europa.

Development and Aid

The Gambia is heavily dependent on Britain and other external sources for development finance. Until recently, practically all aid and technical assistance came from Britain. In 1973 total British aid was ₤ 940,000, of which ₤ 439,000 was in the form of technical assistance. There were 79 British experts and 28 British volunteers in The Gambia while 132 Gambian students and trainees were in Britain.

In 1974 The Gambia signed agreements with Lybia covering financial assistance and co-operation in the economic, technical and cultural fields, including the construction of administrative buildings and health centres and a Muslim secondary school, with grants from Lybia, and the setting up of a joint transport corporation, with Lybia providing finance totalling US $ 250,000.

Other recent aid agreements have been with the World Bank group (US $ 11.3 million to improve tourist services; and a rice irrigation scheme at Sapu); the EEC (US $ 12 million for rural development, transport and trading projects); UNDP (a new survey of the river Gambia at the joint request of The Gambia and Senegal, as part of their Joint Gambia River Basin Studies Programme; and development of inshore fisheries); USSR (development of offshore fisheries); Britain (inshore fisheries; and feasibility study on meat exporting), the African Development Bank, West Germany and China are other important sources of aid.

Development plan, 1975-80

	Investment (D million)	Percentage
Agriculture and animal husbandry	22.0	14.9
Forestry, fisheries and mineral resources	10.3	6.8
Manufacturing and commerce	3.1	2.2
Building and construction	4.5	3.1
Tourism	4.7	3.2
Transport	29.9	21.1
Public utilities	23.7	16.6
Education	4.5	3.3
Health	13.5	9.5
Housing and social welfare	1.1	1.3
Central government	11.6	8.1
Quasi-government	1.7	1.1
Local and rural government	5.4	3.6
Environment and urban	7.7	5.2
TOTAL	144.6	100.0

Both cotton and palm kernels are regarded as potentially important cash crops. Cotton, second in importance to groundnuts as a cash crop, has been grown in limited quantities in the Gambia for centuries and cotton spinning was quite an important industry, until it was destroyed by competition from cheap imported cotton goods. In the past few years over 400 ha have been intensively cultivated in the upper river region and new varieties have been introduced. The existing area is to be increased to over 4,000 ha by 1978 with the assistance of the African Development Bank. Even so, output will not be sufficient to support a local textile mill. Oil and kernels, mostly from wild trees, are also exported.

Développement et assistance

La Gambie est fortement tributaire du Royaume-Uni et d'autres sources extérieures pour le financement de son développement. Jusqu'à tout récemment, presque toute l'aide et l'assistance techniques étaient fournies par le Royaume Uni. En 1973 cette aide britannique était au total de ₤ 940.000 dont ₤ 439.000 sous forme d'assistance technique. Il y avait en Gambie 79 experts et 28 volontaires britanniques et il y avait au Royaume-Uni 132 étudiants et personnes recevant une formation professionnelle de nationalité gambienne.

En 1974 la Gambie a conclu avec la Libye des accords relatifs à l'assistance financière et à la coopération dans les domaines économique, culturel et technique, ainsi qu'à la construction de bâtiments administratifs, de centres sanitaires et d'une école secondaire musulmane grâce à des subventions accordées par la Libye, et à la création d'une compagnie conjointe de transport. Ces accords prévoyaient des fonds totaux de $ US 250.000.

D'autres accords d'assistance ont été signés récemment avec le groupe de la Banque Mondiale ($ 11,3 millions pour l'amélioration des services touristiques et pour un plan d'irrigation des rizières à Sapu); la C.E.E. ($ 12 millions pour des projets de développement rural, de transports et d'échanges); le Programme des Nations Unies de Développement (nouvelle étude du fleuve Gambie à la demande en commun du Sénégal et de la Gambie, dans le cadre de leur programme commun d'étude du bassin du fleuve et pour le développement des pêches à l'intérieur); l'URSS (développement des pêches en mer); le Royaume Uni (pêches à l'intérieur et étude des possibilités d'exportation de viandes). La Banque de Développement africaine, l'Allemagne occidentale et la Chine sont également des sources d'aide importantes.

Plan de développement — 1975-80

	Investissements (en millions de dalasi)	Pourcentages
Agriculture et élevage	22,0	14,9
Forêts, pêches et ressources minérales	10,3	6,8
Industrie et commerce	3,1	2,2
Construction	4,5	3,1
Tourisme	4,7	3,2
Transports	29,9	21,1
Services publics	23,7	16,6
Instruction	4,5	3,3
Santé publique	13,5	9,5
Logement et services sociaux	1,1	1,3
Administration centrale	11,6	8,1
Organes quasi gouvernementaux	1,7	1,1
Administration locale et rurale	5,4	3,6
Environnement et urbanisme	7,7	5,2
TOTAL	144,6	100,0

On considère que le coton et les palmistes constituent en puissance des sources importantes de revenu. Le coton, qui vient après les arachides quant au revenu pousse depuis des siècles en faible quantité, et la filature était une industrie relativement active avant sa destruction par la concurrence de textiles de coton à bas prix importés. Au cours des dernières années plus de 400 ha ont été intensivement cultivés dans la région en amont et de nouvelles variétés ont été introduites. La zone existante doit être portée à plus de 4.000 ha en 1978 grâce à l'assistance offerte par la Banque de développement africaine. Mais même dans ce cas, la production sera insuffisante pour alimenter une usine textile locale. Le pays exporte aussi de l'huile et des noix provenant surtout d'arbres non cultivés.

Entwicklung und Beihilfe

Für seine Entwicklungsfinanzierung ist Gambia stark auf England und andere ausländische Quellen angewiesen. Bis ganz kürzlich noch kam fast die ganze Hilfe und technische Beihilfe aus England. 1973 erreichte diese englische Hilfe eine Gesamtsumme von 940.000 Pfund, davon 439.000 in Form von technischer Beihilfe. Es gab in Gambia 79 englische Sachverständige und 28 Freiwillige, sowie 132 Studenten und sonstige Gambier, die dort eine berufsmässige Ausbildung erhielten, studierten in England.

1974 schloss Gambia mit Lybien Verträge über Finanzbeihilfe und Zusammenarbeit ab, und zwar in den wirtschaftlichen, kulturellen und technischen Gebieten, für den Bau von Verwaltungsgebäuden, Sanitärstellen und einer moslemischen Höheren Schule. Dies alles wurde durch die von Lybien bewilligten Subventionen möglich, sowie auch durch die Gründung einer gemeinsamen Transportgesellschaft. In diesen Verträgen handelte es sich um eine Gesamtsumme von 250.000 U.S. Dollar.

Andere Beihilfeverträge wurden kürzlich mit der Gruppe der Weltbank abgeschlossen (11,3 Millionen Dollar für die Verbesserung der touristischen Dienststellen und für einen Bewässerungsplan der Reisfelder in Sapu). Mit der Europäischen Wirtschaftgemeinschaft: 12 Millionen Dollar für ländliche Entwicklungsprojekte, Transport und Warenaustausch. Mit dem Entwicklungsprogramm der Vereinten Nationen: eine neue Studie des Gambiastroms, auf die gemeinsame Bitte von Senegal und Gambia, im Rahmen ihres gemeinsamen Forschungsprogramms im Becken des Flusses und für die Entwicklung der Binnenfischerei. Mit der Sowjetunion: Entwicklung der Meerfischerei. Mit England: Binnenfischerei und Prüfung eventueller Fleischausfuhrmöglichkeiten. Die Afrikanische Entwicklungsbank, die Bundesrepublik Deutschland und China sind ebenfalls bedeutende Hilfsquellen.

Entwicklungsplan 1975 - 80	Investitionen (in Millionen Dalasi)	Prozente
Landwirtschaft und Viehzucht	22,0	14,9
Forstwirtschaft, Fischerei und Bodenschätze	10,3	6,8
Industrie und Handel	3,1	2,2
Bauwesen	4,5	3,1
Tourismus	4,7	3,2
Transportwesen	29,9	21,1
Öffentliche Dienste	23,7	16,6
Lehrwesen	4,5	3,3
Gesundheitswesen	13,5	9,5
Wohnungen und soziale Dienststellen	1,1	1,3
Zentralverwaltung	11,6	8,1
Halböffentliche Organisationen	1,7	1,1
Lokale und ländliche Verwaltung	5,4	3,6
Umgebungsschutz und Urbanismus	7,7	5,2
INSGESAMT	144,6	100,0

Man ist der Meinung, dass Baumwolle und Erdnüsse eines Tages die Grundlage zu bedeutenden Einnahmequellen abgeben werden. Die Baumwolle, die als Einnahmequelle gleich nach den Erdnüssen kommt, wächst seit Jahrhunderten in geringen Mengen. Die Baumwollspinnerei war eine ziemlich aktive Industrie, bevor sie von der Konkurrenz der zu niedrigen Preisen eingeführten Baumwollstoffe ruiniert wurde. In den letzten Jahren sind über 400 ha Baumwolle intensiv in den stromaufwärts gelegenen Gebieten bestellt und neue Varietäten eingeführt worden. Diese schon bestehende Zone soll 1978 auf über 4.000 ha vergrössert werden und zwar unter Beihilfe der Afrikanischen Entwicklungsbank. Aber selbst in diesem Falle würde die Produktion noch nicht genügen, um eine lokale Textilfabrik speisen zu können. Das Land führt ebenfalls Öl und von nicht kultivierten Bäumen stammende Nüsse aus.

Utveckling och bistånd

Gambia är i mycket stor utsträckning beroende av Storbritannien och andra utländska källor vad gäller finansieringen av utvecklingen i landet. Tills alldeles nyligen kom praktiskt taget all teknisk hjälp och tekniskt bistånd från Storbritannien. 1973 uppgick denna brittiska hjälp till totalt 940 000 pund, varav 439 000 i form av tekniskt bistånd. 79 brittiska experter och 28 frivilliga befann sig i Gambia och 132 studenter och personer av gambisk nationalitet yrkesutbildades i Storbritannien.

1974 träffade Gambia ett antal ekonomiska bistånds- och samarbetsavtal med Libyen inom de ekonomiska, kulturella och tekniska områdena. Tack vare av Libyen beviljade penningbidrag, beslöt man att konstruera administrativa byggnader, hälsovårdscentraler och en musulmansk högstadieskola. Slutligen överenskom man att bilda ett gemensamt transportbolag. Dessa överenskommelser förutsåg ett kapital på totalt 250 000 dollar.

Ytterligare biståndsöverenskommelser har nyligen undertecknats med: Världsbanken (11,3 miljoner dollar för turistväsendet och för ett bevattningsprojekt för risfälten i Sapu); EG (12 miljoner dollar för utvecklingsprojekt i landsorten, kommunikationsmedel och utbyten); Förenta Nationernas utvecklingsprogram (förnyad studie av Gambiafloden, begärd av Senegal och Gambia inom ramen av ländernas gemensamma program för studium av flodområdet och för utveckling av insjöfisket); Sovjetunionen (utveckling av havsfisket); Storbritannien (utveckling av insjöfisket och studium av möjligheterna till köttexport). Den afrikanska utvecklingsbanken, Västtyskland och Kina lämnar likaså en omfattande hjälp.

Utvecklingsplan 1975-80

	Investeringar i milj dalasi	Procent
Lantbruk och boskapsavel	22,0	14,9
Skogar, fiske och malmtillgångar	10,3	6,8
Industri och handel	3,1	2,2
Byggnadsbranschen	4,5	3,1
Turism	4,7	3,2
Kommunikationer	29,9	21,1
Allmänna inrättningar	23,7	16,6
Skolutbildning	4,5	3,3
Allmän hälsovård	13,5	9,5
Bostäder och social verksamhet	1,1	1,3
Central förvaltning	11,6	8,1
Halvstatliga institutioner	1,7	1,1
Lokal- och landsortsförvaltning	5,4	3,6
Omgivning och statsplanering	7,7	5,2
TOTALT	144,6	100,0

Man tror att bomull och kålpalm kommer att bli viktiga inkomstkällor. Bomullen, som i inkomsthänseende ligger på andra plats efter jordnötterna, växer sedan sekel tillbaka i liten kvantitet. Spinneriverksamheten var en relativt aktiv industri innan den konkurrerades ut av de billiga importerade bomullstextilierna. Under de senaste åren har man i stor omfattning odlat upp över 400 ha i den uppströms belägna regionen och nya varieteter har introducerats. Med hjälp av det bistånd, som den afrikanska utvecklingsbanken beviljat, planerar man att öka de nu befintliga odlingarna till att år 1978 omfatta över 4 000 ha. Men även om man lyckas genomföra detta, kommer produktionen inte räcka till för att "nära" en lokal textilfabrik. Landet exporterar även olja och nötter, huvudsakligen från vilt växande träd.

Kapok trees.
Kapokiers.
Kapokwollbäume.
Kapockträd.

Baskets of salt.
Paniers de sel.
Mit Salz angefüllte Körb
Saltkorgar.

▶

"Te Sito" the watchword - a call for Gambians to redouble their efforts in the task of nation-building. And to the accompaniment of drums, it's music while you work.

Le "sito" leit-motiv, afin que les Gambiens puissent redoubler d'efforts, et que leur pays s'épanouisse, le tambour accompagne les paysans pendant leur travail.

Das "Sito"-Leitmotiv... Um die Gambier bei ihren Bemühungen für die Entwicklung des Landes anzuspornen, begleitet die Trommel die Bauern bei ihrer Arbeit.

Ledmotivet "Sito", spelat på trumma, ackompagnerar bönderna under deras arbete, och sporrar gambierna till att fördubbla sina ansträngningar för att deras land skall blomstra.

Education

Primary education lasts six years and is free; junior secondary lasts four and senior secondary six years; small tuition fees are charged at secondary schools. Post-secondary education is provided at two vocational training centres at Banjul and Sapu and at the teacher training college at Yundum. The latter is to be extended and will also train agriculture extension staff in future. For further education Gambian students go abroad, mainly to other West African countries or Britain.

In 1973/74 there were 96 primary schools with 20,724 pupils and 22 secondary schools with 5,614 pupils. Eighty per cent of all primary school children attend schools in the Banjul area, which district also contains nearly all the secondary schools. Under a ten-year scheme ending 1984/85, it is proposed to place greater emphasis on agriculture in education and to increase primary school enrolment in rural areas.

Instruction

L'instruction primaire est gratuite, elle dure six ans. L'instruction secondaire dure quatre ans dans les premières classes et six ans dans les classes avancées. Elle donne lieu à des frais de scolarité peu élevés. Deux centres de formation professionnelle à Banjul et à Sapu offrent un enseignement post scolaire ainsi que l'école normale de Yundum. Celle-ci doit être agrandie et formera également dans l'avenir le personnel de vulgarisation agricole. Les étudiants gambiens qui veulent suivre des cours d'enseignement supérieur se rendent à l'étranger, principalement dans les autres pays d'Afrique occidentale et au Royaume-Uni.

En 1973/74 le nombre des écoles primaires était de 96 avec 20.724 enfants, celui des écoles secondaires de 22 avec 5.614 enfants. 80% des élèves des écoles primaires fréquentent des écoles dans la région de Banjul, là également se trouvent presque toutes les écoles secondaires. Dans un plan décennal se terminant en 1984/85, il est envisagé d'accentuer davantage la place de l'agriculture dans l'éducation et d'accroître la fréquentation de l'école primaire dans les régions rurales.

Erziehungswesen

Der sechsjährige Besuch der Grundschule ist kostenlos. Die Höhere Schule besucht man vier Jahre lang in den ersten Klassen und sechs Jahre in den Terminalklassen. Das zu zahlende Schulgeld ist nur gering. Zwei Berufsschulen in Banjul und Sapu bieten Vervollkommnungs-möglichkeiten, sowie auch die Normalschule in Yundum. Diese soll übrigens vergrössert werden und wird in Zukunft auch Lehrpersonal für die Verbreitung landwirtschaftlicher Kenntnisse ausbilden. Die gambischen Studenten, die Hochschulkursen folgen wollen, begeben sich ins Ausland (in andere westafrikanische Länder, oder nach England).

1973/74 bestanden 96 Grundschulen mit 20.724 Schülern, 22 Höhere Schulen mit 5.614 Schülern. 80% der Schüler der Grundschulen besuchen Schulen im Gebiet von Banjul, wo sich ebenfalls fast aller Höheren Schulen befinden. Ein Zehnjahresplan - der 1984/85 zuende geht - sieht vor, die Landwirtschaft im Lehrwesen stärker herauszustreichen und den Besuch der Grundschule in ländlichen Bezirken zu verbessern.

Skolundervisning

Folkskoleundervisningen, som omfattar sex år, är kostnadsfri. På högstadiet varar undervisningen, alltefter elevernas nivå, fyra respektive sex år och skolavgifterna är låga. För vidareutbildning efter den normala skolgången finns två yrkesskolor i Banjul och Sapu samt seminariet i Yundum. Detta senare skall byggas ut för att i framtiden även utbilda lärare inom jordbruksämnen. De gambiska studenter, som önskar fortsätta sina studier vid universitet, beger sig utomlands och då huvudsakligen till de övriga västafrikanska länderna samt till Storbritannien.

1973/74 var antalet folkskolor 96 och elevantalet 20 724 medan antalet högstadieskolor uppgick till 22 stycken och 5 614 barn. 80% av folkskoleeleverna går i skola i Banjultrakten, där även praktiskt taget samtliga högstadieskolor är belägna. I en 10-årsplan, som löper fram till 1984/85, planerar man att lägga ytterligare tonvikt vid jordbruksundervisningen samt öka lågstadieundervisningen på landsbygden.

Religions

About 90 % of the population are Muslims. Christians, predominantly Anglicans, Methodists and Roman Catholics, live mainly in the area around Banjul and include the Akus who are the descendants of freed slaves. There are a few animists, particularly among the Jola.

Religions

Environ 90% des habitants sont musulmans. Les chrétiens surtout anglicans, méthodistes et catholiques vivent principalement autour de Banjul et comprennent les Akus qui descendent d'esclaves affranchis. On trouve quelques animistes, spécialement parmi les Jolas.

Religionen

Ungefähr 90% der Einwohner sind Moslems. Die Christen - meistens Anglikaner, Methodisten und Katholiken - leben hauptsächlich in der Umgebung von Banjul; unter ihnen die Aku, die von freigelassenen Sklaven abstammen. Man findet ebenfalls unter ihnen einige Animisten, besonders unter den Jola.

Religioner

Cirka 90% av befolkningen är muslimer. De kristna - främst anglikaner, metodister och katoliker lever huvudsakligen i trakten kring Banjul och omfattar folkslaget akus, som härstammar från frigivna slavar. Därtill kommer några animister, främst bland folkslaget jola.

Banjul (formerly called Bathurst) is the capital and the only sizeable town, with a population at the 1973 census of 39,476. It is situated on St Mary's Island, a sandbank at the mouth of the Gambia river, and has a deep sheltered harbour. The majority of the inhabitants of the capital are Wolofs.

Banjul (ex Bathurst) est la capitale et la seule ville de quelque importance du pays. Au recensement de 1973 sa population était de 39.476 habitants. Elle est située dans l'île Sainte Marie, banc de sable à l'estuaire de la Gambie et a un port profond et abrité. La plus grande partie des habitants de la capitale sont des Wolofs.

Banjul (das frühere Bathurst) ist die Hauptstadt und die einzige wirklich bedeutende Stadt des Landes. Nach der Zählung von 1973 lebten dort 39.476 Einwohner. Sie liegt auf der Insel Ste Marie, Sandbank in der Mündung der Gambia; sie hat einen tiefen und wohlgeschützten Hafen. Der grösste Teil der Einwohner der Hauptstadt sind Wolof.

Banjul (tidigare kallad Bathurst) är landets huvudstad och enda betydande samhälle. Vid 1973 års folkräkning uppgick invånarantalet i staden till 39 476. Den är belägen på ön Sainte Marie, en sandbank vid Gambiaflodens mynning och åtnjuter en djup och väl skyddad hamn. Huvudstadens befolkning består till större delen av djoloffer.

Currency, Banking and Finance

The unit of currency is the dalasi (D) divided into 100 butut. It was introduced in July 1971 when it replaced the Gambia pound (which had been at par with sterling) at the rate of 5 dalasi to the pound. The rate against sterling was maintained until March 1973 when the dalasi was revalued to D 4 = £st. 1.

The bank of issue is the Central Bank of The Gambia, founded in 1971. There are three commercial banks: the Standard Bank of West Africa with a branch at Basse, the Gambia Commercial and Development Bank with branches at Bakau and Basse and the International Bank for Commerce and Industry (BICI) also with branches at Bakau and Serrekunda. One of the purposes of the Gambia Commercial and Development Bank, of which the Government owns 51% of the paid-up capital, is to assist Gambian businessmen.

Monnaie, système bancaire et finances

L'unité monétaire est le dalasi (D) divisé en 100 butut. Il date de juillet 1971, époque à laquelle il a remplacé la livre de Gambie (qui avait été à la parité de la livre sterling) au taux de £ sterling 1 = 5 dalasi. Ce taux a été maintenu jusqu'en mars 1973; le dalasi a alors été réévalué à un taux de £ 1 = 4 dalasi.

La banque d'émission est la Banque centrale de Gambie créée en 1971. Il existe trois banques commerciales : la Standard Bank of West Africa ayant une succursale à Basse; la Gambia Commercial and Development Bank, ayant des agences à Bakau et Basse et l'International Bank for Commerce and Industry (BICI) qui a aussi des agences à Bakau et Serrekunda. L'une des fonctions de la Gambia Commercial and Development Bank, dont le capital versé appartient pour 51% à l'Etat, est d'aider les commerçants et les industriels gambiens.

Geld-, Bank- und Finanzwesen

Die Währungseinheit ist der Dalasi (D), der in 100 Butut unterteilt ist. Er datiert von Juni 1971. Zu dieser Epoche hat er das gambische Pfund ersetzt, das mit dem englischen Pfund in Parität stand: 1 Pfund Sterling = 5 Dalasi. Dieser Kurs war bis März 1973 in Geltung. Der Dalasi wurde dann wieder aufgewertet: 1 Pfund = 4 Dalasi.

Die Emissionsbank ist die Zentralbank von Gambia, die 1971 gegründet wurde. Es bestehen drei Handelsbanken: die "Standard Bank of Westafrica", mit einer Filiale in Basse; die "Gambia Commercial and Development Bank", mit Filialen in Bakau und Basse, und die "International Bank for Commerce and Industry" (BICI), die ebenfalls Filialen in Bakau und Serrekunda besitzt. Eine der Aufgaben der "Gambia Commercial and Development Bank", deren Kapital zu 51% dem Staate gehört, besteht darin, den gambischen Kaufleuten und Industriellen Finanzhilfe zu gewährleisten.

Mynt, banksystem och statsfinanser

Myntenheten är en dalasi (D), som uppdelas i 100 butut. Den daterar sig till juli 1971, då den ersatte det gambiska pundet (som stod i paritet med det brittiska) med växlingskursen 1 brittiskt pund = 5 dalasi. Denna kurs vidmakthölls ända till mars månad 1973, då dalasin fick kursen 1 pund = 4 dalasi.

Sedelutgivande bank är Gambias centralbank, vilken bildades år 1971. Det finns tre handelsbanker: Standard Bank of West Africa med filial i Basse; Gambia Commercial and Development Bank med filialer i Bakau och Basse och International Bank for Commerce and Industry (BICI) som även har filialer i Bakau och Serrekunda. 51% av Gambia Commercial and Development Banks inbetalda kapital tillhör staten och en av bankens uppgifter är att bistå gambiska köp- och industrimän.

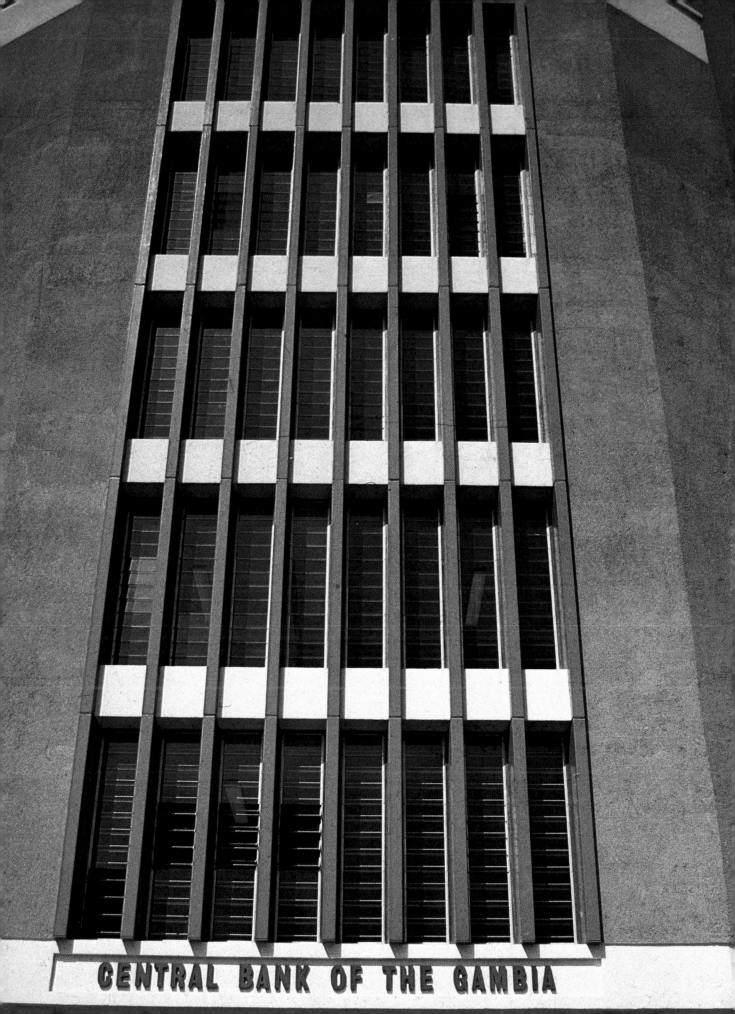

CENTRAL BANK OF THE GAMBIA

Albreda, the natural landing-place for Jufureh. The old mosque at Jufureh. Has it changed much since the days of Kunta Kinteh - Alex Haley's great, great grandfather? Come and see for yourself!

Albreda juste avant d'arriver à Jufureh. La vieille mosquée de Jufureh. A-t-elle changé depuis que la vit Kunta Kinteh, l'arrière, arrière grand-père d'Alex Haley. Venez et découvrez-la vous-même.

Albreda, kurz vor der Ankunft in Jufureh. Die alte Moschee von Jufureh. Hat sie sich verändert, seitdem sie Kunta Kinteh, der Ur-Urgrossvater des Schriftstellers Alex Haley zum letzen Mal sah? Kommen Sie und entdecken Sie es selbst.

Albreda, strax innan man kommer fram till Jufureh. Jufurehs gamla moské; har den förändrats sedan Kunta Kinteh, Haleys farfars farfar, såg den? Kom och upptäck den själv!

And the Gambia becomes world-famous

Et la Gambie devient célèbre dans le monde entier

Und Gambia wird in der ganzen Welt berühmt

Och Gambia blev berömt över hela världen

Tourism, folklore and crafts - there are many reasons for optimism regarding the country's future

Tourisme, folklore, artisanat, il y a pour l'avenir du pays, beaucoup de raisons d'espérer

Tourismus, Folklore, Handwerk : eine hoffnungsvolle Zukunft für das Land

Turism, folklor, hemslöjd. Det finns, för landets framtid, all anledning till att hoppas

An uncanny sense of history still lingers in this 300 year old fort at James Island.
Une mystérieuse sensation demeure sur l'histoire de ce fort de l'île St James, vieux de 300 ans.
Dieses 300 Jahre alte Fort der Insel St James bewahrt den mysteriösen Sinn der Geschichte.
Mystik vilar kring detta 300 år gamla, på ön St. James belägna forts historia.

"Albreda", an old trading centre only a few hundred yards away from the world famous village of Jufureh, ancestral home of Alex Haley.

Albreda, un vieux comptoir à quelques centaines de mètres du village de Jufureh, là où vécurent les ancêtres d'Alex Haley, village mondialement connu.

Albreda, eine alte Handelsniederlassung, liegt einige hundert Meter von dem Dorf Jufureh entfernt. Dort lebten die Ahnen des Schriftstellers Alex Haley.

Albreda, en gammal handelsutpost några hundratals meter från den världsberömda byn Jufureh, där Alex Haleys förfäder levde.

The Obelisk at the village of Karantaba in the Gambia, marking the spot where the great explorer Mungo Park started on his travels to discover the Niger.

L'obélisque au village de Karantaba en Gambie marque l'endroit d'où est parti le grand explorateur Mungo Park lorsqu'il partit à la découverte du Niger.

Der Obelisk im Dorfe Karantaba, in Gambia, bezeichnet die Stätte, von der der grosse Forscher Mungo Park auszog, als er sich auf die Entdeckung des Nigers begab.

Obelisken i byn Karantaba i Gambia utmärker den plats, från vilken den store upptäcktsresanden Mungo Park gav sig iväg för att upptäcka Niger.

Colourful dolls dressed in traditional ladies' costume, based on the period of Marie-Antoinette.

Poupées habillées à la Marie-Antoinette.

Mit aus der Marie-Antoinette Epoche stammenden Kostümen bekleidete Puppen.
I Marie-Antoinette-stil klädda dockor.

Unspoilt sandy beaches, blue skies and coconut palms - a haven for everyone.

Plages immaculées, ciel bleu et palmeraies, hâvre de paix pour chacun de nous.

Reine weisse Sandstrände, ein ewig blauer Himmel und Palmenhaine, ein Hafen des Friedens und der Ruhe für jederman.

'Orörda sandstränder, blå himmel och palmlundar, en fridfull tillflyktsort för oss alla.

Tourism

Tourism is the most dynamic sector of the economy, the number of tourists having grown from 660 in 1965 to over 25,000 in 1975. Receipts from tourism in 1975/76 were estimated at D 6.5 million. In 1967 there were only two hotels with a total of 52 beds; now there are 13 with about 2,000 beds in Banjul and along the coast. It is planned to increase this capacity by 350 beds a year until 1983 when the number of tourists expected will be 72,000 a year. Most of the tourists come from Scandinavia on package air tours but there are also considerable numbers of day visitors from cruise ships. The industry provides some employment but the season runs only from October to April. Many Gambians are becoming worried about the possible harmful effects that the proposed large-scale tourism will have on their society.

Tourisme

Le tourisme est le secteur le plus dynamique de l'économie. Le nombre de touristes est passé de 660 en 1965 à plus de 25.000 en 1975. Les recettes du tourisme ont été évaluées en 1975/76 à 6,5 millions dalasi. Il n'y avait en 1962 que deux hôtels, 52 lits au total; il y en a aujourd'hui 13 et environ 2.000 lits à Banjul et le long de la côte. On projette d'accroître ce nombre de 350 lits par an jusqu'en 1982 année après laquelle on attend un nombre annuel de touristes de 72.000. La plupart des touristes viennent des pays scandinaves en voyages aériens organisés, mais il y a aussi un nombre important d'excursionnistes de la journée à partir de navires en croisières. Cette industrie offre des emplois mais la saison ne dure que d'octobre à avril. De nombreux gambiens sont préoccupés des répercussions, pouvant être défavorables, que le projet de tourisme accru aurait sur l'organisation sociale.

Tourismus

Der Tourismus ist der dynamischste Wirtschaftszweig. Die Zahl der Touristen, die 1965 noch 660 betrug, ist im Jahre 1975 auf mehr als 25.000 angestiegen. Die Einkünfte aus dem Tourismus sind in den Jahren 1975/76 auf 6,5 Millionen Dalasi geschätzt worden. 1972 gab es nur zwei Hotels mit 52 Betten; heute gibt es 13 Hotels mit ungefähr 2.000 Betten in Banjul und der Küste entlang. Die Zahl der Betten soll bis 1982 um 350 Betten jährlich gesteigert werden. Ab 1982 erwartet man jährlich 72.000 Touristen. Die Mehrzahl der Touristen kommen in organisierten Reisen auf dem Luftweg aus den skandinavischen Ländern, doch kommen auch eine bedeutende Anzahl von auf einer Seereise begriffenen Ausflüglern, die ihr Schiff einen Tag verlassen. In dieser Industrie finden eine Menge Gambier Anstellung, aber die Saison dauert nur von Oktober bis April. Zahlreiche Gambier sehen mit Besorgnis, dass die vorgesehene Ausweitung der touristischen Projekte wenig förderliche Folgen für die soziale Organisation nach sich ziehen würde.

Turism

Turismen utgör den mest dynamiska sektorn. Antalet turister ökade från 660 år 1965 till över 25 000 år 1975. Turistinkomsterna uppskattades 1975/76 till 6,4 miljoner dalasi. 1962 fanns endast två hotell med totalt 52 bäddar; idag har man 13 hotell med cirka 2 000 bäddar i Banjul och längs med kusten. Man planerar att fram till år 1982 öka antalet bäddar med 350 per år. Efter detta år väntar man sig årligen 72 000 turister. Flertalet turister kommer med charterresor från de skandinaviska länderna, men även ett stort antal personer på kryssningar gör dagsutflykter till landet. Denna industri ger sysselsättning, men säsongen varar endast från oktober till april. Ett stort antal gambier oroar sig för de eventuellt negativa återverkningar, som planerna på utvidgad turism skulle kunna få på den sociala organisationen.

A tropical paradise - in one of the Gambia's modern Hotels.
Paradis tropical, un des hôtels de la Gambie.
Ein Tropenparadies findet man in einem der Hotels Gambias.
Ett tropiskt paradis - ett av Gambias hotell.

Away from the hustle and bustle of cities and cold winters to one of the Gambia's many beaches - where there's just you, the sun and the sea.

Loin de la vie trépidante des villes, des hivers et leurs séquelles, voici les plages où il y a le soleil et la mer.

Fern vom Lärm der Städte und kalten Wintern mit ihren Erkältungen, einer der Strände Gambias, wo man mit Sonne und Meer eins wird.

Gambias soldränkta havsstränder - fjärran från städernas jäkt och från stränga vintrar.

Singing, a universal expression enjoyed by all.

Le chant, un moyen universel d'expression qui est apprécié par chacun de nous.

Der Gesang, ein universelles Ausdrucksmittel, dem sich ein jeder gern hingibt.

Sången, ett av oss alla uppskattat uttrycksmedel.

This book has been an invitation to discover the Gambia. Known throughout the world as a result of the book "Roots" and television broadcasts. But this little country, where the word "Pollution" does not exist, also has a people who are simple, hospitable and proud of their hospitality, and it is no accident that we are finishing this book with the photograph of these two girls weaving cotton fabric. In the age of mechanisation is not this the very symbol of calm and happiness ?

Ce livre a été une invitation à la découverte de la Gambie. Mondialement connue grâce au livre "Racines" et aux émissions de télévision. Mais ce petit pays où le mot pollution n'existe pas, c'est aussi un peuple simple, accueillant, fier de son hospitalité et c'est à dessein que nous terminons par la photographie de ces jeunes femmes tissant le coton. Au siècle de la mécanisation n'est-ce pas là le symbole même de la quiétude et du bonheur ?

Dieses Buch war eine Einladung zur Entdeckung Gambias. Das Land wurde dank dem Buch "Racines" (Wurzeln) und den damit verknüpften Fernsehsendungen weltbekannt. Aber dieses, von der Umweltverschmutzung noch unberührte Land wird ebenfalls von einfachen, gastfreundlichen Menschen bewohnt. Und wir setzen mit Absicht diese Photographie von jungen, Baumwolle webenden Frauen, ans Ende. Ist diese einfache Geste im Jahrhundert der Mechanisierung nicht das Symbol von Ruhe, Erhabenheit und Glück ?

Denna bok är en inbjudan till att komma och upptäcka Gambia. Världsbekant genom boken "Rötter" och olika televisionsprogram. Men folket i detta lilla land, där ordet nedsmutsning inte existerar, är också enkelt, vänligt och stolt över sin gästfrihet. Det är med avsikt som vi avslutar boken med ett fotografi på några unga kvinnor, som sysslar med bomullsvävning. Är det inte, i detta av mekanik präglade sekel, själva symbolen för frid och lycka ?

CABLE AND WIRELESS
ABUKO RADIO STATION

Banjul Airport.
Aéroport de Banjul.
Der Flughafen von Banjul.
Banjuls flygplats.

Initially, the station will work, via the satellite, to the United Kingdom from where calls from The Gambia can be switched to anywhere in the world. The station could indeed work to any of the numerous destinations in the satellite's field of vision with similar receiving capability subject to agreement between the respective countries to correspond by satellite.

En premier lieu la station travaillera via satellite vers l'Angleterre où les appels depuis la Gambie pourront être répercutés partout dans le monde. Mais en fait elle pourra être opérationnelle vers les pays qui ont le même champ visuel et elle devra signer les contrats avec les pays correspondants à ce potentiel.

Am Anfang wird die Station vermittels Satellit nach England hin arbeiten. Vor dort aus werden die aus Gambia kommenden Anrufe in die ganze Welt weitergeleitet werden. Tatsächlich wird sie aber schon mit allen Ländern arbeiten können, die das gleiche Blickfeld haben. Die Verträge werden mit den Ländern abgeschlossen werden die das entsprechende Potential besitzen.

I första hand kommer centralen att via satellit sända samtalen från Gambia till England, varifrån de skall kunna vidarebefordras över hela världen. Själv kan centralen endast arbeta med länder, som har samma sänd- och mottagarfrekvenser och Gambia måste underteckna kontrakt med de länder som motsvarar dessa krav.

CABLE AND WIRELESS
ABUKO RADIO STATION